L'Homme qui a conçu Montréal

Jérôme Le Royer, Sieur de la Dauversière

L'Homme qui a conçu Montréal

Jérôme Le Royer,
Sieur de la Dauversière

Étude d'une spiritualité

Méridien
ÉDITIONS DU MÉRIDIEN

Données de catalogage avant publication (Canada)

Oury, Guy-Marie

Jérôme Le Royer de la Dauversière, l'homme qui a conçu Montréal
ISBN 2-89415-042-3

1. La Dauversière, Jérôme Le Royer de, 1597-1659.
2. Montréal (Québec) - Histoire. 3. Montréal (Québec) - Biographies.
I. Titre.

BX4705.L497087 1991   271.976   C91-090733-1

Imprimi potest:
Abbatia Sancti Petri de Solesmis,
die 14a julii 1991
+ Fr. Joannes Prou
Abbas S. Petri de Solesmis

Illustration de la page couverture: Archives de la Bibliothèque Nationale du Québec
Conception de la page couverture: Eric L'Archevêque
Maquette et mise en page: Eric L'Archevêque

© Éditions du Méridien — 1991

ISBN 2-89415-042-3

Dépôt légal : 3ᵉ trimestre 1991 — Bibliothèque nationale du Québec.

Imprimé au Canada

Le Clocher de Saint-Thomas (Dessin de Dom Guy-Marie Oury, o.s.b.).

AVANT-PROPOS

Telle qu'elle a été conçue et voulue la colonie missionnaire de Montréal ne peut être comprise si l'on ignore la personnalité de son créateur, Jérôme Le Royer de la Dauversière; c'est un mystique tourné vers l'action, à la manière de Marie de l'Incarnation et de quelques Jésuites de la Nouvelle-France, mais c'est un laïc, père de famille, qui n'a jamais quitté le sol de France.

Ce livre est la synthèse de nombreux travaux et d'études, pour un grand nombre inédits, et il apporte, croyons-nous, de nombreux éléments nouveaux pour connaître et juger l'homme et l'œuvre. Comme le titre l'indique, c'est d'abord l'étude d'une spiritualité, plus qu'une biographie qui s'attache au déroulement minutieux des étapes d'une vie. A cet égard, cet ouvrage sera assez différent de l'œuvre, longuement élaborée, du P. Béchard. Mais il ne néglige nullement l'aspect historique qui reste fondamental.

L'annotation a été volontairement réduite à l'essentiel; il aurait été aisé de la développer pour faire un ouvrage d'érudition, et d'ajouter encore à la bibliographie; ce qui est indiqué suffira à situer les nombreuses sources encore inconnues ou inexploitées de la vie de M. de la Dauversière. Pour rendre l'ouvrage accessible à un plus large public, l'orthographe des textes cités a été modernisée et pourvue d'une ponctuation qui en facilite la lecture et la compréhension, mais les citations sont fidèles.

L'accès aux Archives a été rendu possible ou facilité par les travaux antérieurs de sœur Gaudin, de sœur Maria Mondoux, de Marie-Claire Daveluy, de l'abbé de Lattre; mon propre travail dépend en grande partie de ces patientes recherches antérieures; il doit beaucoup à la compétence et à la disponibilité des archivistes de la Congrégation des Religieuses Hospitalières de Saint-Joseph, sœur Nicole Bussières à Montréal, sœur Denise Péron à La Flèche; qu'elles en soient vivement remerciées. Mais remerciements vont également : M. Pierre-Yves Louis de Paris pour ses recherches au Fancamp.

Chapitre I

SOUS LE SIGNE DE MARTIN ET D'IGNACE

Martin de Tours, Ignace de Loyola sont deux soldats convertis; le premier a introduit en Gaule la vie monastique, en fondant Ligugé en 361, puis, devenu évêque, il a consacré sa vie à la christianisation des campagnes de son diocèse et des régions voisines; le second a entraîné à sa suite une multitude de compagnons et les a envoyés par le monde pour répandre l'Évangile. Martin de Tours et Ignace de Loyola ont marqué de leur sceau les jeunes années de Jérôme Le Royer de la Dauversière, qui devait tant se préoccuper de l'évangélisation et de la «conversion des sauvages de la Nouvelle-France».

Lorsque Jérôme commença à prendre conscience de lui-même et de son environnement, le cap d'un nouveau siècle avait été doublé; ses contemporains avaient changé de millésime : du XVI siècle disparu, ils étaient passés aux espoirs du XVII tout neuf. Jérôme devait apprendre des grandes personnes les horreurs des dernières décennies et leur désir d'un avenir moins troublé.

L'enfant avait trois ans ou allait les avoir dans quelques mois; il était né à La Flèche, le 18 mars 1597 [1](ou un peu plus tôt : la veille) et avait été baptisé en la veille de la fête de Saint Joseph dans la grande église paroissiale de Saint-Thomas, dont la flèche se dressait de toute sa hauteur (80 pieds, vingt-sept mètres) au-dessus de la tour des cloches.

Maintenant et pour quelques années il vivait à Tours, dans le voisinage de la basilique Saint-Martin, sur la paroisse Saint-Venant qui était également, à l'instar de la grande église voisine, une collégiale; moins importante, certes, mais non point négligeable, avec ses dix chanoines et ses douze chapelains.

Non loin de là, plus proche de la Loire, mais à cinq cents mètres tout au plus, venait de naître le 28 octobre 1699, au foyer des Guyard, rue des Tanneurs, celle qui devait devenir Marie de l'Incarnation.

Le père de Jérôme, qui s'appelait également Jérôme, remplissait les fonctions de receveur des Messieurs de l'Église collégiale Saint-Martin; il n'avait pas encore trente ans[2]. Son enfance avait été difficile par suite d'un drame familial. Voici brièvement ce qui s'était passé.

En 1570, durant les troubles civils, son père, Guillaume, âgé de vingt-cinq ans, était tombé amoureux de Marguerite de Nesdes, fille d'Olivier, seigneur du Chêne, et de Françoise de la Roussière-Mathefelon; il n'avait pas l'aveu de ses parents : «Julien Le Royer, son père, qui n'eut pas cette recherche agréable, fit assigner son fils pour lui faire défense de passer outre au mariage, avec cette protestation que, s'il passait outre audit mariage, que dès lors comme dès à présent et dès à présent comme dès lors, il le déshéritait.[3]»

Guillaume passa outre; il épousa l'élue de son cœur, qui lui donna deux garçons : Jérôme, le 3 décembre 1571, le futur receveur des Messieurs de Saint-Martin, et René, le 30 décembre 1572; puis il mourut jeune encore. Le grand père des deux enfants n'avait pas complètement rompu avec le jeune foyer, il l'avait reçu chez lui en visite, et même «les avait invités à boire et à manger chez lui (et) avait trouvé bon que sa femme assistât comme aïeule au baptême de leurs enfants, qui avait eu lieu à Saint-Thomas de la Flèche. Mais il s'était montré intraitable sur la mesure qu'il avait cru devoir prendre : «Il avait réitéré contre les enfants l'exhérédition prononcée contre le père,» après la mort de celui-ci. Il l'avait fait à l'instigation de ses deux gendres, Jean Marsollier et Jacques Denyon, les époux de Françoise et Claude Le Royer.

Après la mort de Julien, un arrêt solennel de la Cour d'Angers, en date du 12 décembre 1584, réintégra dans leurs droits de succession les deux jeunes enfants, Jérôme et René, qui avaient respectivement treize et douze ans. Leur mère et tutrice, Marguerite de Nesdes, put venir s'installer à la maison seigneuriale de Chantepie, paroisse de Courcelles, dont l'entrée lui avait été interdite jusqu'alors. La maison a disparu aujourd'hui; il ne reste que quelques bâtiments de ferme; elle faisait face au manoir de la Dauversière de l'autre côté du ruisseau du Riboux qui sert de limite aux deux paroisses de Bousse et de Courcelles.

La première charge de Jérôme, le père du fondateur de Montréal, fut celle de receveur de Saint-Martin; il en fut pourvu probablement dès ses vingt ans; et il se maria vers l'âge de vingt-cinq ans (en 1595 ou 1596) avec Renée Oudin, dont nous savons peu de choses, sinon qu'elle lui donna trois enfants : Jérôme, baptisé à La Flèche, le 18 mars 1597, sieur de la Dauversière; René, baptisé à Saint-Venant de Tours, le 29 décembre 1598, sieur de Boistaillé; et Marguerite, qui naquit à La Flèche en 1603[4].

A cette date, la famille semble être revenue à La Flèche ou sur le point de s'y installer définitivement, car en 1604, Jérôme Le Royer a acheté la charge de contrôleur du grenier à sel.

Il reste que les souvenirs de la petite enfance du fondateur des Hospitalières de Saint-Joseph sont liés à la ville de Tours, et que c'est là qu'il assista pour la première fois à la Messe et qu'il visita ses premières églises.

La densité des paroisses était considérable dans la partie de la ville qu'habitaient ses parents; à toute heure les cloches sonnaient dans le voisinage où les trois collégiales de Saint-Martin, de Saint-Venant et de Saint-Pierre-le-Puellier rivalisaient avec l'abbaye de Saint-Julien.

Le dimanche des Rameaux l'imposante procession du clergé de Saint-Martin se rendait à la croix du cimetière voisin de Saint-Pierre du Chardonnet pour y chanter l'Évangile de la bénédiction des Palmes; le lundi de Pâques le chapitre se dirigeait vers le sud et se rendait à l'abbaye des moniales de Beaumont-les-Tours, en passant par le prieuré Saint-Eloi; le parcours de ces deux processions passait presque sous les fenêtres des Le Royer.

Il se déroula quelques événements importants dans l'histoire religieuse de la cité au temps où Jérôme s'y trouvait : l'établissement des Capucins en 1601 sur le coteau de Saint-Symphorien dominant le fleuve et la ville; la première réforme de Marmoutier en 1603 dans le logis de l'infirmerie.

Surtout, l'enfant entendit parler de Saint Martin et de son amour des pauvres, de son zèle pour convertir les païens des campagnes de la Gaule car il y avait des païens alors en Touraine et en Anjou, dans le pays où il vivait et dans celui de sa grand'mère de Nesdes:

«Si les chrétiens de la primitive Église qui nous ont annoncé la foi, soit Grecs, soit Juifs ou Romains, eussent été aussi indifférents que nous en la propagation d'icelle», lit-on dans la brochure des *Véritables Motifs de la Société de Notre Dame de Montréal pour la conversion des sauvages de la Nouvelle France,* «s'ils eussent voulu attendre qu'elle eut été publiée et reçue par toute l'Italie et la Grèce avant de venir à nous, qu'eût-ce été de nous?» [5]

Mais à cinq ou six ans, si l'on se souvient bien des personnes et des événements, les lieux ne font pas encore grande impression. Or c'est en 1603 ou 1604, semble-t-il, que Jérôme Le Royer quitta la ville de saint Martin, pour n'y plus revenir qu'occasionnellement. Son père venait d'acheter la charge de contrôleur du grenier à sel de La Flèche et retrouvait ainsi parents, cousins et amis.

Dans les provinces centrales de la France, Ile-de-France, Orléanais, Berry, Bourbonnais, Nivernais, Bourgogne, Champagne, Picardie, Normandie, Maine, Anjou et Touraine, le sel était fortement taxé et la consommation d'une quantité minimum de sel était obligatoire par foyer; il y avait plus de deux cent vingt-cinq greniers à sel où l'on devait venir se pourvoir; celui de La Flèche se trouvait proche de l'Aumônerie Sainte-Marguerite, entre l'église Saint-Thomas et le Pré Luneau.

La Flèche n'était encore qu'une petite ville, mais elle allait grandir rapidement à la suite de l'ouverture du Collège des Jésuites en 1603-1604.

L'on possède encore les impressions toutes fraîches d'un étudiant allemand, Johan Zinzerling qui y passa vers 1610, alors qu'à vingt ans, il effectuait un long voyage qui le conduisit à travers la France, l'Angleterre, les Pays-Bas et la Suisse:

«La Flèche est une ville qui mériterait d'être visitée par les Muses; elle est située en un endroit des plus agréables sur le bord d'une rivière; Henri le Grand a embelli cette localité, le lieu de sa conception, en y construisant un palais qui dépasse en magnificence ceux-mêmes des Rois; il y a installé les Jésuites : trois cours, trois bâtiments, une église magnifique! Le tout suffirait à abriter trois Rois avec leurs cours...

«J'ai trouvé à m'héberger à l'enseigne des Quatre Vents; j'y ai été fort bien traité pour une somme raisonnable. Pour y aller de Saumur, il faut compter une journée pour s'y rendre, le temps d'une journée pour la visite, et une autre pour revenir; si l'on a un bon guide, on peut partir de bonne heure, ainsi que je l'ai fait moi-même avec mon compagnon et faire l'excursion en deux jours; à Baugé qui n'est point laid, il est possible de déjeuner avec son guide.[6]»

Les merveilles décrites par Johan Zinzerling dans son *Guide de France*, publié en latin à Lyon en 1616, sont sorties de terre sous les yeux de Jérôme; il n'y avait encore rien en 1603, que le château de Françoise d'Alençon au milieu de ses jardins où les Jésuites ouvrirent leurs premières classes de grammaire, de rhétorique, de langue latine, grecque, hébraïque etc... le 2 janvier 1604; l'église Saint-Louis fut commencée en 1607, ouverte au culte en 1621 et consacrée en 1637.

A La Flèche, pour se conformer aux désirs du roi Henri, les Jésuites créèrent un établissement modèle dont la structure aujourd'hui encore est admirablement préservée. La chapelle est gothique dans sa conception; son architecte, le frère Etienne Martellange, s'intéressait beaucoup en effet à l'architecture des siècles passés; ses carnets de croquis que l'on conserve à la Bibliothèque Nationale sont remplis de relevés d'anciennes églises, pris au cours de ses voyages à travers la France.

Le Collège allait bientôt former une petite cité en lisière de la ville et déborder sur elle pour le logement de ses élèves, regroupés par rues selon leur origine. Il compta vite plus d'un millier d'élèves : douze cents, puis quinze cents; quant aux religieux eux-mêmes, professeurs, régents, scolastiques, ils furent une centaine. La Flèche était un très grand Collège et l'on devait s'y sentir un peu perdu; il était possible d'appartenir à l'établissement sans jamais avoir l'occasion de rencontrer tel père dont l'histoire a retenu le nom; quant aux élèves, beaucoup s'ignoraient. Ainsi est-il difficile de savoir si Jérôme Le Royer a jamais rencontré, ne fût-ce qu'en passant, le jeune Descartes ou le futur Père Mersenne, ou le futur maréchal de Schomberg et bien d'autres.

Sur le nombre, huit cents élèves étaient internes; les autres logeaient en ville, soit chez l'habitant, soit dans de petites pensions dont les Pères s'efforçaient de surveiller la bonne tenue; Jérôme était du nombre des élèves qui provenaient de la ville même et rentraient tout simplement matin et soir chez leurs parents. La Flèche cependant se sentait envahie : la présence du Collège l'aidait à vivre et donnait de l'emploi à un grand nombre de personnes, mais la population n'excédait pas cinq mille âmes, ce qui signifiait que le quart des habitants n'appartenait pas à la société fléchose et n'en partageait pas les préoccupations. Le grand établissement était une porte largement ouverte sur un «ailleurs» : mais par réaction naturelle, les Fléchois se protégeaient contre lui et formaient leur propre cercle.

L'encadrement religieux de la ville ne devait rien au Collège : l'unique paroisse Saint-Thomas avait un abondant clergé, formé de prêtres habitués; au début du XVII siècle, il y en avait vingt-cinq; en outre, la ville comptait un couvent de Cordeliers, remplacés par les Récollets réformés en 1604, l'année même de l'ouverture des classes par les premiers Jésuites. Un peu loin de la ville, dans une clairière de la forêt qui s'étendait au sud, sur les coteaux du Loir, on allait en pélerinage à l'abbaye des chanoines réguliers du Mélinais; leur fondateur, le bienheureux Regnault était très populaire et l'on vénérait son tombeau.

Pour les religieuses, au début du XVII siècle, il n'y avait encore que les Filles de Saint-François, des Tertiaires régulières vivant en clôture, dont le couvent jouxtait celui des Récollets.

La présence de nombreux élèves et étudiants a donné une nouvelle impulsion au pélerinage de Notre-Dame en sa petite église du Chef-du-Pont en l'île près du Château-Vieux. L'église remontait au XI siècle, mais la statue vénérée est du XIV siècle, semble-t-il.

> «L'on voit tous les jours (y) entrer une quantité de personnes, écrit le P. Poiré, et nommément de la jeunesse qui étudie. Et ce n'est pas qu'il s'y fasse de temps en temps quelques miracles , quoiqu'ils ne soient pas divulgués.

Témoin un grand nombre d'images de cire qui pendent tout autour de l'autel[7].»

Un autre lieu de pèlerinage attire les Fléchois; pour le moment il est quelque peu en sommeil, mais il va se réveiller en 1621, à la suite d'un miracle; c'est le sanctuaire de Notre-Dame-du-Chêne dans la lande de Vion, à quatre lieues au nord-ouest de La Flèche.

«La Vierge a témoigné depuis une douzaine d'années, écrit le P. Poiré, qu'elle prenait plaisir d'y être servie et voici comment la chose advint. Au milieu d'une lande, où l'on ne voyait pour l'ordinaire que des bêtes qui allaient au pâturage et ceux qui les y conduisaient, il y avait une pauvre chapelle déserte et toute ruinée, avec une vieille image assez mal faite de la glorieuse Vierge. Un homme riche ayant un enfant tout contrefait et défiguré, afin d'ôter de devant ses yeux ce sujet d'ennui et de regret, l'avait donné à nourrir à une pauvre femme qui menait parfois son bétail à l'entour de cette chapelle. Un jour comme elle l'eut aperçue, elle se sentit intérieurement poussée d'y entrer avec l'enfant qu'elle portait entre ses bras, et s'étant prosternée à deux genoux devant l'image, elle s'adressa à la Sainte-Vierge et lui dit avec beaucoup de simplicité qu'elle ne cesserait pas de l'importuner jusqu'à ce que son enfant fût guéri. Elle continua sa dévotion l'espace d'environ six semaines, faisant tous les jours la même prière; au bout desquelles comme elle était un matin dans la chapelle, priant du meilleur de son cœur, elle vit que l'enfant était droit sans qu'il restât aucune marque de sa première difformité. D'abord elle eut peine de croire à ses yeux et de s'assurer que ce fût celui qu'elle avait apporté…Mais après l'avoir bien envisagé, elle n'en put nullement douter. Le bruit d'un miracle s'étant répandu par le village, chacun accourut à la chapelle où en moins de six mois furent faits dix autres miracles signalées…»[8]

Selon Vincent Charron qui publia en 1637 à Nantes son *Kalendrier historial de la Glorieuse Vierge Marie, Mère de Dieu*, le miracle eut lieu le 23 mai 1621.

Le maréchal de Bois-Dauphin, de Précigné, l'un des anciens piliers de la Ligue dans le pays, fit relever la chapelle et construire un logis pour recevoir les pélerins : «C'est maintenant, ajoute, le P. Poiré, la dévotion des villes d'Angers, du Mans, Durtal, La Flèche et de tout le pays circonvoisin.»

Comme Jérôme atteignit ses dix ans au printemps de l'année 1607, il est assez probable qu'il fut confié dès ce moment aux Pères Jésuites pour commencer son cours classique. Il n'y avait encore dans la maison qu'une quarantaine de religieux; mais l'établissement se développait très rapidement puisqu'on en comptera 83 en 1611; le recteur était alors le P. Etienne Charlet. Le *Manuel de la Congrégation de la Sainte Vierge*, composé par le P. François Veron, allait être imprimé à La Flèche chez Jacques Rezé, en 1610, l'année même de l'assassinat du bon roi Henri par Ravaillac.

L'événement émut tout le monde; il y avait eu des tentatives antérieures, qui avaient échoué; ce que l'on redoutait se produisit cependant le 15 mars 1610, alors que le roi se rendait du Louvre à l'Arsenal. Il avait stipulé que son cœur reviendrait au Collège, mais on espérait que ce serait pour beaucoup plus tard.

La cérémonie de l'accueil fut imposante; le 31 mai, le P. Provincial des Jésuites de Paris quitta la maison professe avec une escorte de douze cents cavaliers, conduite par le duc de Montbazon et le marquis Fouquet de la Varenne, seigneur de La Flèche.

Ce dernier prit les devants pour veiller à tout; La Flèche était sa ville, il en était le gouverneur; il en allait de son honneur, car toute la France alors s'occupait du bon Roi disparu.

L'escorte royale parvint le vendredi 4 juin à l'entrée du faubourg des Bans à la Flèche; les autorités de la ville l'accueillirent avec l'effectif du Collège au grand complet, les représentants des dix-neuf paroisses d'alentour, le clergé de la ville et vingt-quatre gentilhommes choisis dans les rangs des élèves parmi les plus représentatifs.

Le P. Provincial tenait le cœur lui-même; celui-ci avait été déposé dans une cassette d'argent, posé sur un coussin de velours noir. Le cortège passa devant le château Neuf récemment construit par Fouquet de la Varenne, au milieu d'une foule silencieuse; il se rendit d'abord à Saint-Thomas, l'église majeure.

Derrière le prévôt marchaient les élèves des Jésuites, le clergé, les prêtres, les religieux, le marquis avec son fils René, baron de Saint-Suzanne, à qui les vingt-quatre jeunes nobles faisaient escorte.

Les cérémonies se déroulèrent à l'église paroissiale, puis au Collège; l'on se rendit ensuite au château pour saluer Hercule de Rohan, duc de Montbazon, dans les bras duquel le Roi avait expiré[9].

En 1610, à la mort de son père, le Dauphin avait neuf ans; il était Roi; en 1614 - il en avait treize - il s'arrêta à La Flèche avec la Régente, sa mère, du 2 au 4 septembre, revenant des Etats de Bretagne et d'un pèlerinage à Notre-Dame des Ardilliers à Saumur. On joua en son honneur au théâtre du Collège la tragédie latine de *Godefroy de Bouillon*, et dans une allée du parc, une comédie, *Clorinde*. Le théâtre était en effet cultivé par les Pères au bénéfice de leurs élèves; entre 1608 et 1612, on joua quatre tragédies latines du P. Musson, de Verdun; puis on passa à celles du P. Petau; à l'époque où Jérôme achevait ses études, on jouait celles du P. Cellot, après avoir monté celles du P. Caussin[10].

Cela, c'était l'extraordinaire; l'ordinaire était plus ardu; nous connaissons quelques livres qui ont servi à Jérôme : en 1608 et 1609 les Jésuites avaient fait imprimer à La Flèche par les soins de Jacques Rezé la *Syntaxe grecque* du P. Jacques Gretser, puis ses *Institutions de la langue grecque* et enfin son *Exercice de grammaire*[11].

En 1616 mourut le marquis, l'ami de Henri IV et le protecteur des Jésuites; marquis, il l'était de fraîche date, et on l'appelle ainsi souvent par anticipation : ses fiefs avaient été érigés en marquisat le 7 juin 1616 et il mourut le 7 décembre de la même année, léguant aux Jésuites 12,000 livres tournois «pour parachever leur église»; son tombeau fut creusé au-dessous de l'urne qui devait contenir le cœur de son Roi dans la nouvelle chapelle.

Jérôme était parvenu alors à la fin de son temps d'études; peut-être même les avait-il achevées depuis 1614; il était passé à la *Grande Congrégation*, celle des notables auxquels se joignaient les élèves des hautes classes (rhétorique, philosophie, théologie); elle était placée sous le vocable de la Purification de Notre-Dame, la fête du 2 février; les réunions avaient lieu dans la chapelle des externes, sous la direction d'un Père; ce fut d'abord le P. Louis

Celot, puis le François de Saint-Rémy, auquel succéda le P. de la Barre[12].

Les membres de la *Congrégation* se groupaient pour réciter ensemble le Petit Office de la Vierge, entendre la Messe et recevoir la Communion les matins des dimanches et fêtes chômées; ils écoutaient ensuite les avis du directeur.

Chacune des *Congrégations de la Vierge* avait trois fêtes patronales; la fête des Saints Anges en mars était particulierement populaire; il y avait, outre les assemblées des dimanches et fêtes, la messe du premier lundi du mois pour les congréganistes défunts, et le dernier samedi du mois la distribution aux membres des noms des saints qu'ils auraient à vénérer et imiter durant le mois suivant.

L'on ne possède pas pour La Flèche de statistiques permettant de connaître l'importance numérique des Congréganistes parmi les élèves et parmi les habitants de la ville; partout ailleurs où l'on a conservé des chiffres, l'on constate une progression très rapide autour des Collèges; au milieu du siècle, les congréganistes de Cologne ou ceux de Lille, toutes sodalités confondues, sont au nombre de 2.000 pour une population urbaine totale de 45.000 habitants. Pour les petites villes, plus aisées à conquérir, les chiffres sont encore plus impressionnants; 1.000 à Nancy pour 7.000 habitants vers 1650. La province de Champagne - entendons les maisons de Jésuites de l'Est de la France - a en 1630 environ 5.600 élèves; les Congrégations de la Sainte-Vierge, élèves et anciens élèves ou agrégés, y comptent 3.550 membres dont près de la moitié appartiennent aux Congrégations de bourgeois et d'artisans de la ville [13].

On ne se trompera donc pas en voyant dans la Congrégation mariale des Jésuites le milieu spirituel dans lequel s'est épanouie la vie chrétienne de Jérôme Le Royer. Il appartient vraiment à l'Europe des dévots; sa vie entière en témoigne. A l'intérieur de la Congrégation, peut se constituer parfois, comme à Fribourg en Suisse, une fraternité désireuse d'étendre le champ de l'activité des membres et les exigences de leur consécration; ils ne se satisfont pas des seules règles communes; c'est ce qui arrivera à La Flèche sous l'influence de M. de la Dauversière en 1636 avec la *Congrégation de la Sainte-Famille*; mais il n'est pas encore temps d'en parler. Dans la ville, la *Congrégation des Artisans* ne sera établie de façon définitive qu'en 1658 par les soins du P. Georges Vial; auparavant, l'effort a porté tout entier sur la bourgeoisie; le milieu dévôt de La Flèche est essentiellement bourgeois : maire, échevins, gens du Présidial, de l'Election, des finances, du grenier à sel...et propriétaires.

Pour tous, les grandes solennités en l'honneur de la canonisation de Saint Ignace de Loyola et de Saint François Xavier qui se déroulèrent en juillet 1622, ont profondément marqué. Elles ont été présidées par l'évêque du Mans, Mgr de Lavardin, en l'absence de l'évêque d'Angers. Les rues de la ville furent pavoisées et l'on avait suspendu dans l'église une centaine de peintures représentant les épisodes de la vie des nouveaux saints[14]. La fête dura huit jours avec participation de tous les religieux de la ville et des environs : Récollets, moines de Fontevrault (un petit monastère a été installé en 1617 pour les jeunes religieux qui étudiaient au Collège), moines de la Boissière, chanoines réguliers du Mélinais. «On ne peut se remuer dans les rues tant la presse est grande», écrit un témoin. Les célébrations sont un symbole, comme le fut à Rome la construction de l'église de Gésu.

L'exemple de Saint-Ignace et de Saint François Xavier a sans cesse été présent à l'esprit de Jérôme Le Royer de la Dauversière dans ses projets missionnaires qui allaient prendre corps plus tard en 1635; l'on ne peut s'empêcher de rapprocher sa vocation exceptionnelle de la *Contemplation du règne de Jésus-Christ* qui ouvre la deuxième semaine dans les *Exercices de Saint-Ignace*.:

> «Me mettre devant les yeux un roi humain, choisi par Dieu, auquel les princes et tous les peuples chrétiens doivent respect et soumission [92]. M'imaginer que j'entende ce roi parlant ainsi à tous ses sujets : Je me propose de soumettre à mon pouvoir toutes les régions des infidèles...[93] Si ce roi terrestre...mérite qu'on lui accorde attention et soumission, combien plus le Christ roi éternel et illustre dans le monde entier, qui invite chacun par ces paroles : Telle est ma très juste volonté : revendiquer pour moi la souveraineté sur le monde entier, vaincre tous mes ennemis et ainsi entrer dans la gloire de mon Père. En conséquence, quiconque désire y venir avec moi doit peiner avec moi, car la récompense correspondra à la peine [95]».

Les Jésuites ont appris à Jérôme par leur exemple et celui de leurs fondateurs à nourrir en lui ces désirs de conquête apostolique pour le Christ : étendre le royaume de Dieu jusqu'aux extrémités de la terre. La Dauversière dès ses jeunes années a vécu sous le signe Saint Ignace.

Et Saint Martin? Tours est la ville de sa petite enfance et il y retournera par la suite au moins chaque fois qu'il aura à rendre ses comptes aux Trésoriers de France, au chef-lieu la généralité, car l'Election de La Flèche relève de la Généralité de Tours.

Saint Martin, lui, est celui qui a partagé son manteau aux portes d'Amiens, celui qui a donné sa tunique dans le *sacrarium* de l'église de Tours; c'est l'ami des pauvres qui a guéri un lépreux à Paris, en l'embrassant et en le bénissant.

Jérôme, tout enfant, a entendu ces récits, il est allé souvent dans la grande basilique vénérer le tombeau, il a vu dans maintes églises des «Charités de Saint Martin» : le saint à cheval fendant en deux sa cappe pour en vêtir le pauvre qui, dans sa nudité et sa souffrance, n'est autre que le Christ. La vocation de Jérôme est également placée sous le signe de Saint Martin.

Notes — Chapitre I

1. Les *Registres de catholicité* de Saint-Thomas de La Flèche ont disparu, mais l'on possède encore un registre intitulé : *Répertoire des garçons depuis 1567, Naissances,* qui en est un extrait appartenant à la mairie de La Flèche, Etat-civil; le *Répertoire* se trouve actuellement aux Archives départementales de la Sarthe où tous les Registres de catholicité de l'Ancien Régime ont été regroupés.

2. La plupart des renseignements sur la famille proviennent des travaux de sœur Adolphine Gaudin (1811-1893); ils sont regroupés dans l'*Inventaire et extraits des papiers de famille de Jérôme Le Royer de la Dauversière, 1538-1765,* aux *Archives de l'Hôtel-Dieu de La Flèche;* beaucoup des originaux ont disparu de manière accidentelle; d'où l'intérêt unique de ce travail.

3. On trouvera la source de cet épisode dans un Arrêt de la Cour d'Angers du 12 décembre 1584 reproduit, parce qu'il fit jurisprudence, dans : *Coustumes du pays et duché d'Anjou conférées avec les Coustumes voisines, avec le Commentaire de Me Gabriel Dupineau,* nouvelle édition par Claude Pocquet de Livonnière, t. II, A Paris, chez Jean-Baptiste Coignard, 1725. *Appendice : Arrests célèbres de la Province d'Anjou :* liv. IV,chap. XIX : *De l'Exhérédition.* La même affaire est traitée dans *Cent notables et singulières questions de droit décidées par arrests mémorables des Cours souveraines de France,* recueillies par Jean Chenu. A Lyon, chez Simon Rigaud, 1626.

4. *Preuves de Noblesse* de Le Royer de la Motte, 22 mars 1776 : Paris, Bibl. Nat., fr. 31743, Dossier 3622.

5. *Les Véritables motifs des Messieurs et Dames de la Société de Notre-Dame de Montréal pour la conversion des Sauvages de la Nouvelle-France,* Paris, 1643, p.12; réédition anastatique par Marie-Claire Daveluy, *La Société de Notre-Dame de Montréal, 1639-1663, Son histoire, ses membres, son manifeste,* Montréal-Paris, Fides, 1965. Je crois avoir établi que l'auteur en est Olier lui-même : Guy-Marie Oury, «Le rédacteur des Véritables motifs» : M. Olier?», dans *Eglise et théologie,* vol.21, 1990, p. 211-224.

6. Cf. P. Calendini, «La Flèche en 1627», dans *Annales fléchoises*, t. VII, 1906, p. 304; H. Gelly «La Touraine au début du règne de Louis par Jodocus Sincerus : Itinerariun Galliae», dans *Bulletin de la Société Archéologique de Touraine*, t. XL, 1984, p. 1003-1026.

7. Fr. Poiré, *La triple couronne de la Bienheureuse Vierge Mère de Dieu*, Paris, Sébastien Cramoisy, 1630, rééd. par les Bénédictins de Solesmes, Paris, Julien, Lanier et Cosnard, 1858, p. 383.

8. *Ib.*, p. 383-384.

9. P. Schilte, «Le château des Fouquet de la Varenne au XVII siècle», dans *La Province du Maine*, t. 89, 1987, p.166.

10. C. de Rochemonteix, *Un Collège des Jésuites aux XVII et XVIII siècles, Le Collège Henri IV de La Flèche*, Le Mans, Leguicheux, 1889, t. III, p. 215-223.

11. L. Calendini, «Jacques Gretser et ses ouvrages imprimés à La Flèche, 1608-1609», dans *Annales fléchoises*, t.4, 1904, p.177-180.

12. C. de Rochemonteix, *op. cit.*, t. I, p.239; t. II, p. 121 s.

13. L. Châtellier, *L'Europe des dévots*, Nouvelle Bibliothèque scientifique, Paris, Flammarion, p. 68-69.

14. C. de Rochemonteix, *op. cit.*, t. II, p. 143-156, 219-250.

15. Ignace de Loyola, *Texte autographe des Exercices spirituels et documents comptemporains (1526-1615)*, coll. «Christus», no. 60, Paris-Montréal, Desclée de Brouwer-Bellarmin, 1986, p. 97; Saint Ignace de Loyola, *Exercices spirituels*, Texte définitif (1546), Traduit et commenté par Jean-Claude Guy, coll. «Sagesse», no. 29, Paris, Ed. du Seuil, p. 81-82.

Le Château-Neuf de La Flèche
Construit en 1540 par François d'Alençon

Chapitre II

LE DEMI-JOUR DES PRÉPARATIONS

Les documents sont silencieux sur la vie profonde de Jérôme Le Royer de la Dauversière jusqu'à l'année 1630; années de vie cachée dont il sortira à la veille de ses trente-trois ans pour un ministère public dont la fécondité est difficile à évaluer, puisque ses œuvres sont toujours vivantes et continuent à rayonner.

Le temps des préparations est en demi-teinte; on en saisit l'aspect extérieur; pour le dedans il faut deviner, en fonction de ce qui est arrivé ensuite. Jérôme s'emploie à construire sa vie personnelle et son foyer.

Son père avait dû quitter Tours en 1603 ou 1604, laissant à un autre charge de receveur des Messieurs du Chapitre de Saint-Martin, ou continuant à l'exercer sur un autre théâtre, car Saint-Martin possédait de nombreux biens non loin de La Flèche : à Précigné, à Mayet, à La Bruère-sur-Loir... Mais sa principale charge était devenue en 1604 celle de contrôleur du Grenier à sel à La Flèche. Il y a ajouta d'autres charges qu'il acheta : en 1612, il est receveur des deniers d'octroi à la Maison de ville; puis en 1615, il devient en outre receveur des tailles dans l'Election de La Flèche[1]. Il mourut entre le 16 juillet et le 20 août 1618 : Jérôme avait vingt-et-un ans; son frère René, vingt : leur jeune sœur avait peut-être déjà disparu; elle n'apparaît nulle part par la suite.

A sa sortie du Collège, Jérôme, l'aîné, fut initié à la gérance des deux offices de contrôleur du Grenier à sel et de receveur de l'octroi; sa mère devait racheter à son intention l'office de receveur des tailles.

A propos du père, quelques indications ont déjà été données sur le fonctionnement du Grenier à sel et son importance dans la vie des contribuables. Il est nécessaire d'ajouter ici d'autres précisions sur les deux offices acquis ensuite, puisque Jérôme va les exercer durant son existence active.

L'octroi relevait de la Maison de ville, elle-même de création récente. Les droits d'entrée se levaient généralement sur les boissons, le bétail à pied fourché, le suif, la chandelle, le bois, les matériaux de construction; mais les fraudes étaient nombreuses, car les bourgeois jouissaient du privilège de faire entrer en franchise les denrées en provenance de leurs domaines ou même les boissons achetées par eux en gros, de sorte que le contrôle était rendu difficile et la perception souvent aléatoire. Il n'y avait d'ailleurs qu'un moyen pour lever les octrois, qui était d'avoir un employé à chacune des portes de la ville; à La Flèche la construction de l'enceinte fortifiée ne datait que de 1593, à la fin des troubles; il n'y avait pas de traditions[2].

La taille au contraire était un impôt royal et était perçue dans toutes les paroisses de l'Election de La Flèche, soit une circonscription d'une centaine de paroisses de l'Anjou et du Maine. La carte de l'Election de La Flèche est assez tourmentée; très grossièrement elle pourrait s'inscrire dans un triangle en forme d'équerre, dont la base serait formée par le Loir de La Chartre-sur-le-Loir en amont jusqu'au-delà de Durtal en aval; le côté en équerre serait situé à l'ouest et remonterait sur Sablé et Sainte-Suzanne; et une grande ligne rejoindrait le sommet à la base, jalonnée par Loué, la Suze, Mayet et La Chartre : en mesures contemporaines, la base serait de 75 kilomètres, le petit côté de l'équerre de 40, et le grand côté en diagonale de 80; cela représentait d'assez nombreuses chevauchées[3].

Les rôles d'imposition des paroisses étaient dressés par les Elus qui les parcouraient à cheval et menaient une enquête; quand les rôles d'imposition de toutes les paroisses étaient arrêtés, ils étaient remis aux receveurs des tailles qui les envoyaient aux paroisses dans le plus bref délai; la taille y était répartie entre les habitants par trois ou quatre d'entre eux qui servaient de collecteurs et remettaient les fonds aux receveurs; ceux-ci étaient au nombre de deux par élection et versaient les fonds perçus au receveur général ou à son commis résidant ou chef-lieu de la Généralité, c'est-à-dire à Tours[4].

M. de la Dauversière exerçait son office, les années impaires, une année sur deux, alternativement avec l'autre receveur; l'office était conféré par lettres-patentes enregistrées à la Chambre des Comptes et au Bureau des finances, où le titulaire prêtait serment de «bien et fidèlement» remplir sa charge; aucun titre ni connaissances particulières n'étaient requis des candidats. Lorsqu'un receveur particulier n'avait pas fait ou n'avait pas pu faire les versements au receveur général aux dates convenues, ce dernier pouvait recourir contre son débiteur à la saisie de ses biens, y compris de son office, et ensuite à l'emprisonnement, même si les retards ne lui était pas personnellement imputables. Les sommes reçues étaient inscrites sur un Registre en spécifiant la «qualité et le nombre des espèces»; car la complication des monnaies et les variations que leur faisait subir le gouvernement royal étaient un des obstacles au recouvrement exact des sommes fixées.

L'office pouvait donner lieu à de nombreuses malversations et concussions, mais il était également dangereux; la perception était d'autant plus difficile que la répartition était mal faite et comportait une large part d'arbitraire; elle était payée en quatre quartiers, au 1 janvier, au 1 avril, au 1 juillet et au 1 octobre.

Quand le Roi avait un besoin urgent d'argent, il lui arrivait d'affermer la taille à des «partisans»; ceux-ci lui avançaient de l'argent et faisaient eux-mêmes la levée et le recouvrement, moyennant une remise du Roi et un bénéfice de six pour cent sur les levées elles-mêmes.

De toutes manières la levée se faisait avec peine et lenteur : «Les contribuables, écrit Boisguilbert, ont l'habitude de payer sol à sol, après mille contraintes et mille exécutions, soit pour se venger des collecteurs de les avoir imposés à une somme trop forte...soit pour rebuter ceux de l'année suivante de les mettre à une pareille somme par les difficultés de paiement...Tel fait venir quarante fois en sa maison pour avoir le paiement de sa taille, qui a de l'argent caché...»[5]

Le receveur n'était pas impuissant contre la mauvaise volonté évidente; il avait les moyens de faire assigner une paroisse solidairement et de contraindre quelques-uns des habitants parmi les plus riches et donc des plus imposés, à verser les sommes manquantes; il pouvait même requérir contre eux l'emprisonnement pour dette, de même que lui-même était responsable, sur sa liberté, devant le receveur général. Situation inconfortable.

L'on possède un exemple de cette procédure : durant l'absence de Jérôme, le 10 novembre 1648, son fils, avocat au parlement et agissant en son nom, fit saisir «trois mères vaches, une taure de trois ans et un veau de l'année, toutes bêtes à poil rouge existant à Bourguichard, paroisse de Précigné, closerie appartenant à François Thaurault, collecteur des tailles de Précigné» par Fourmy, archer, huissier de la maréchaussée d'Angers, et les avait fait mettre «en pension à la Fleur de Lys, auberge de Morannes, afin d'y être vendus»[6].

Le danger était évidemment d'agir avec brutalité et sans prendre en considération tous les éléments du problème; la charge n'était pas facile surtout pour quelqu'un qui avait le souci de ne pas faire tort au contribuable, de ne favoriser personne et de fournir à temps au trésor royal les sommes demandées qui étaient souvent excessives; elles rentraient mal si l'on procédait avec trop de précaution.

Un arrêt de la Cour des Aides du 7 décembre 1652 rendu entre les officiers des Elections de La Flèche a été conservé, car il a fait jurisprudence[7]. Il a été passé entre Me François Foussard, controleur élu en l'Election de La Flèche, et les président, lieutenant, assesseurs et élus de la dite Election. Il ne concerne qu'indirectement M. de la Dauversière et son collègue René Harvoil qui venait de succéder à son père, décédé en charge à 65 ans et inhumé à Saint-Thomas le 15 novembre 1652; le prêtre qui procéda à l'inhumation écrivit dans le *Registre* deux vers latins que l'on peut traduire ainsi :

> «Celui qui contraignait à acquitter au Roi l'impôt,
>   est à son tour contraint de l'acquitter lui-même à
> la mort!»[8]

L'oraison funèbre, concise à souhait, aurait pu être prononcée sur la tombe de M. de la Dauversière.

Le règlement de décembre 1652 montre que tout n'allait pas pour le mieux dans l'Election de La Flèche quant au répartissement de la taille.

Les *Registres de catholicité* de Saint-Thomas de La Flèche d'avant 1633, ont été tous détruits, ce qui ne facilite pas la reconstitution de la famille des Le Royer; cependant il existe à la Mairie de la ville un *Répertoire des naissances des garçons* depuis 1567, constitué à partir des *Registres* disparus. C'est là qu'on a cru trouver mention, le 18 février 1620, de la naissance de l'aîné des enfants : Jérôme Le Royer. Mais ce peut être un homonyme, un cousin dont Jérôme aurait été le parrain et à qui il aurait donné son nom; car à cette date,il n'était pas encore marié.

L'hypothèse d'un enfant né avant mariage est à exclure : sa future épouse habitait Le Mans et ne serait pas venu donner le jour à l'enfant à La Flèche; et s'il s'agissait d'un petit bâtard, il n'aurait pu devenir l'aîné et le principal héritier de la famille, sans une légitimation préalable dont il resterait quelque part une trace. Il n'y a donc pas d'inquiétude à avoir sur la conduite morale de l'ancien élève des Jésuites, congréganiste fervent et futur fondateur des Hospitalières de Saint-Joseph. Une dernière hypothèse reste possible : celle d'un premier mariage de Jérôme, resté veuf à 23 ans avec un enfant.

Le mariage prit place après le 23 mars 1621; on a retrouvé le contrat devant notaire[9], il est passé devant Jean Rousseau, notaire à La Flèche : les futurs qui, chacun, n'ont plus que leur mère, promettent du consentement de leurs parents vivants, de contracter mariage devant l'Eglise et ratifient les clauses du contrat passé au Mans, le 20 mars précédent. La mère de Jérôme promet à son fils 15.000 livres pour l'année 1622 qui sera celle de sa majorité légale (25 ans), et garde l'usufruit des biens de son mari. Jérôme avait encore sa grand'mère, Marguerite de Nesdes, qui figure sur l'acte.

La jeune femme qui s'unissait à M. de la Dauversière, appartenait à une vieille famille du Mans, domiciliée sur la paroisse Saint-Pavin de la Cité. Elle se nommait Jeanne de Baugé et était fille de Me Michel de Baugé, vivant sieur de Vaillé (peut-être faut-il lire Evaillé) et de dame Marie Aubert, son épouse. En l'absence de son père ses répondants étaient Me Nicolas Aubert, sieur de

Beaufay, chanoine de Saint-Julien, son oncle, et noble François Hoyau, sieur de Mallaville, receveur du taillon en l'Election du Mans.

Il n'est pas inutile de mentionner ces parentés, car l'on voit ainsi que Jeanne de Baugé, dame de la Dauversière, appartient à la même famille que la sœur Anne Aubert de Cléraunay, Fille de Saint-Joseph, reçue à La Flèche en 1645, et décédée en Avignon, le 19 juin 1684 après avoir participé aux fondations de Nîmes et de Beaufort.

Il n'est pas inutile non plus de rappeler que, dans son testament, signé le 13 septembre 1590, le poète Robert Garnier avait constitué son beau-frère et cousin, noble Gabriel de Baugé, avocat au parlement, son exécuteur testamentaire, et lui avait confié la tutelle de ses filles, recommandant qu'elles soient instruites dans la religion catholique et mariées avant 18 ans à des gens de noble famille de religion catholique [10].

> «Le Dieu que nous servons est le seul Dieu du monde,
> Qui de rien a bâti le ciel, la terre et l'onde.
> C'est lui seul qui commande à la guerre, aux assauts.
> Il n'y a Dieu que lui, tous les autres sont faux…»[11]

Par son mariage, Jérôme Le Royer de la Dauversière devenait le beau-frère de François Hoyau, veuf de Marie de Baugé et père de deux petits enfants, et de Michel Lamé, mari de Marie de Baugé, receveur des deniers au diocèse de Mans.

L'on peu énumérer tout de suite les enfants que Jeanne de Baugé donna à Jérôme, durant leur trente-huit ans de vie commune; la brochure des *Véritables motifs* de 1643 le dit père de six enfants [12]; mais l'on ne connaît avec certitude que cinq noms:

1. Jérôme, né probablement en 1622, peut-être au Mans, peut-être à Bousse où se trouvait le manoir de la Dauversière. Il devait continuer la lignée; il épousa en 1654 Louise Brochard des Bourdaines; dès 1651, il était lieutenant-général du présidial de La Flèche, charge que son père lui avait achetée.

Si la date du baptême du 18 février 1620 le concerne il serait né d'un premier mariage et ne sera pas le fils de Jeanne de Baugé; il serait seulement le demi-frère des autres enfants.

2. Ignace qui naquit le 21 mars 1624 et devait devenir curé de Bazouges; son père lui avait donné ce nom, étranger à la famille, en l'honneur de Saint Ignace de Loyola, canonisé deux ans plus tot; il n'avait pu le faire pour l'aîné à qui il devait transmettre son propre nom. Ignace devait mourir en charge le 1 mai 1660.

3. Jeanne, née en 1628, qui devait entrer à treize ans dans la communauté des Filles de Saint-Joseph, fondée par son père; elle prit l'habit le 22 janvier 1644; elle accompagnera son père à Moulins après la mort de Marie de la Ferre et se verra alors confier la communauté. Il est possible qu'avant elle, il y ait eu un autre enfant, mort après 1643; l'intervalle est long en effet entre 1624 et 1628. Jeanne, comme il se doit, porte le nom de sa mère.

4. Marie, dite Marie-Angélique, née en 1629 ou 1630, qui devait entrer à l'âge de vingt ans, le 9 avril 1650, à la Visitation de La Flèche; l'on possède encore sa notice nécrologique, en date du 3 juillet 1687, qui est une source inédite pour la connaissance du milieu familial:

> «Elle était fille Monsieur de la Dauversière, y lit-on, si connu pour sa vertu et sa rare piété…son soin fut singulier à bien faire élever tous ses enfants dans les principes du christianisme, lesquels se sont tous consacrés au service de Dieu dans l'état ecclésiastique et celui de la sainte religion, à la réserve de l'aîné qui tient rang dans le monde, mais beaucoup plus dans celui de la vertu. Dans une famille si bien réglée et où tous les exercices de la vraie dévotion se pratiquaient, notre aimable sœur y prit de…grandes habitudes…»[13]

Le texte qui est d'une parente, Sœur Renée-Pacifique Le Royer, est précieux, car il permet de remonter dans la vie de M. de la Dauversière avant l'année 1632, qui est celle de ce que le sieur de Fancamp appelle «sa conversion», sa résolution d'être entièrement à Dieu. Marie porte le nom de Notre-Dame.

5. Joseph, né le 14 février 1637; c'est le seul dont on possède l'acte de baptême; il porte le nom de Saint Joseph, qui était devenu la grande dévotion de M. de la Dauversière, il eut pour parrain Pierre Chevrier, baron de Fancamp, le disciple très aimant et le bras droit de M. de la Dauverière. Joseph succéda à son frère Ignace à la cure de Bazouges et devait mourir le 2 mai 1692,

laissant un renom de sainteté. Joseph Grandet devait lui consacrer quelques pages dans son recueil sur *Les saints Prêtres français*, qu'il donna en modèle au début du XVIII siècle aux séminaristes d'Angers et aux élèves de Saint-Sulpice[14].

M. de la Dauversière hérita de son père la terre de la Dauversière en la paroisse de Bousse, à une dizaine de kilomètres au nord de La Flèche; son frère René possédait le manoir de Boistaillé sur la paroisse de Villaines-sous-Malicorne, mais terre limitrophe des autres; c'est un cousin, Florimond qui portait le titre de Chantepie, la maison seigneuriale où avait habité la grand'mère, Marguerite de Nesdes; il avait des cousins à Arthezé, paroisse voisine.

Par divers actes dont l'un du 26 avril 1648, on constate que M. de la Dauversière possédait des terres à Saint-Germain-du-Val, et également trois métairies à Saint-Aubin-le-Dépeint, en Touraine, au sud de Château-du-Loir; elles devaient un cens à l'abbaye proche de la Clarté-Dieu; ces trois terres sont la Morinière, la Jacobinière et la Thorinière. En ce temps l'abbé commendataire de la Clarté-Dieu était Denis de Rémefort, qui chassait volontiers avec le poète Racan, son voisin, et le conseilla pour sa traduction ou mieux son adaptation des psaumes en vers français.

Un jour il prit le parti de lui demander une paraphrase de sa façon du psaume 28, «Dominus illuminatio mea»; d'autres psaumes avaient suivi; à la fin de 1654, il y en avait 109:

> «Si j'ai chanté ton nom, ta gloire et ta sagesse;
> si tu m'as dans ton sein, dès ma tendre jeunesse,
> découvert les secrets qui sont les plus obscurs,
> permets que mes vieux ans disent de tes miracles
> l'histoire et les oracles,
> et des siècles passés et des siècles futurs»[15].

La décennie 1620-1630, qui semble dépourvue d'événement marquant dans la vie de M. de la Dauversière, est particulièrement agitée au plan national, et par voie de conséquence au plan régional. Sans parler en détail des troubles, il convient de les mentionner, car Jérôme les a vécus à son niveau, lui et sa famille.

Tout d'abord, ce furent les tentatives de la Reine-mère de reprendre le pouvoir qui lui échappait, et les deux guerres de la mère et du fils en 1619 à 1620, la deuxième affectant directement l'Anjou avec la bataille des Ponts-de-Cé, plus proche de l'échauffourée que d'un vrai combat, mais amenant cependant des troupes assez nombreuses - et redoutables par leurs dégâts - dans les environs même de La Flèche.

Puis le rétablissement du catholicisme en Béarn a amené dès la fin de l'années la reprise des guerres de religion; il y eut la paix de Montpellier en 1622, mais les troubles continuèrent en fait jusqu'à la réduction de La Rochelle qui tomba le 29 octobre 1628 après un long siège de plus d'une année; l'opinion catholique adopta en ces années une nouvelle attitude, beaucoup moins tolérante du fait protestant; les idées de reconquête religieuse deviennent des mots d'ordre, et la fameuse Compagnie du Saint-Sacrement, cette société secrète dont on a tant parlé, s'organise alors; sa première réunion se tient en mars 1630; un groupe se formera à Angers vers la fin de l'année 1633, et un autre à La Flèche en 1635 : Jérôme Le Royer en sera l'un des membres les plus actifs.

On doit noter ici pour éviter les confusions que la Compagnie secrète du Saint-Sacrement n'a rien à voir, sinon la ressemblance du nom, avec la Confrérie du Saint-Sacrement de la paroisse de La Flèche dont Jérôme sera le trésorier; cette confrérie est une fraternité paroissiale du type le plus classique, dont l'activité était purement religieuse et n'avait aucun caractère «secret».

A La Flèche, il y eut quelques événements qui ont eu leur répercussion sur la vie spirituelle de M. de la Dauversière; on a mentionné plus haut les fêtes en l'honneur de la canonisation de Saint Ignace de Loyola et de Saint François Xavier en juillet 1622; mais en 1622 se produisit un autre événement d'importance dans la vie des Fléchois : la fondation du couvent des Filles de Notre-Dame pour l'éducation des petites filles de la bourgeoisie. Sainte Jeanne de Lestonnac, la nièce de Montaigne, à la requête de l'administration municipale, envoya de Poitiers Jacquette Chesnel et quelques compagnes pour ouvrir une maison; la rue où elle s'établirent, proche de la maison de M. de la Dauversière, prit le nom de rue de l'Ave, car on lisait l'inscription *Ave Maria* au pied de la Vierge placée à l'entrée du monastère[16]. Les relations de la famille avec le nouveau couvent furent continuelles : les Le Royer y comptèrent de nombreuses parentes et il est probable que M. de la Dauversière confia aux sœurs, l'éducation de ses filles. Après sa mort et la disparition de sa fortune, saisie par les gens du Roi et ses créanciers, c'est à l'*Ave* que fut accueillie Jeanne de Baugé, sa veuve.

Le second événement est une tentative avortée de la Maison de ville et des responsables de l'Aumônerie Sainte-Marguerite (décorée du vocable pompeux d'Hôtel-Dieu); durant une bonne partie de l'année, de juin à octobre 1624, diverses démarches furent faites auprès de l'évêque d'Angers, auprès des gouverneurs du Grand Hôpital d'Orléans, auprès de l'official de ce diocèse, en vue d'obtenir des religieuses de l'Hôtel-Dieu d'Orléans; ce ne fut pas possible; l'on ne possède pas les pièces de ce dossier, mais elles existaient en 1781, lorsque les deux administrteurs alors en charge, Louis-Denis Carquebille et François Fontaine, firent l'inventaire des titres de l'Hôtel-Dieu de La Flèche tiroir par tiroir[17].

Est-il nécessaire de mentionner d'autres faits? peut-être puisqu'ils ont fait l'objet des conversations et commentaires dans la petite ville; un événement se mesure moins à son importance réelle qu'à celle qu'il a revêtu pour ceux qui l'ont vécu.

En 1617, le P. Charles Jouye, Récollet, originaire de La Flèche traduisit un ouvrage ascétique italien du P. Barthélemy Solutive, et le publia à Rouen sous le titre : *Les Sept Trompettes pour réveiller les pêcheurs et les induire à faire pénitence*; le livre était dédié à Guillaume Fouquet de la Varenne, le fils du marquis, jeune évêque d'Angers; le même Père publia en 1619 un ouvrage de sa plume : *Briefve Instruction pour méditer sur les effusions du sang de Notre-Seigneur.*[18]

Les Jouye étaient fort connus à La Flèche et ces deux ouvrages y furent lus; n'est-ce pas son parent, Me Jouye des Roches qui donna en 1624 à l'église Saint-Thomas de belles tapisseries représentant la Cène et le martyre de Saint-Pierre, demandant à être inhumé près de l'autel dédié à Notre-Dame du Chef du Pont à Saint-Thomas? Cette chapelle avait pris le vocable du sanctuaire de pélerinage situé dans l'île près du Château-Vieux.

Puis en 1621, le curé de Chantenay, Jean Rousson, fit paraître chez Louis Hébert, imprimeur à l'enseigne du Nom de Jésus, près le Collège royal un gros *Recueil de Chansons sprirituelles avec les airs nottez sur chacune d'icelles*; on y lisait dans un Noël:

«Et ces vilains usurpateurs
Des biens d'autrui, gens exécrables,
Cent fois pires que des voleurs,
Et devant Dieu moins excusables!
Faut rendre les biens mal acquis
Si voulons avoir Paradis...»[19]

M. de la Dauversière n'avait pas de ces biens-là et était bien décidé à n'en avoir jamais.

Notes — Chapitre II

1. Voir *Inventaire et extraits des papiers de famille, Archives de l'Hôtel-Dieu de La Flèche.*

2. M. Marion, *Dictionnaire des Institutions de la France aux XVII et XVIII siècles*, Paris, 1923, p. 402-404.

3. Carte dans F. Dumas, *La Généralité de Tours au XVIII siècle. Administration de l'Intendant du Cluzel (1766-1783), Mémoires de la Société Archéologique de Touraine*, t. XXXIX, Tours, L. Péricat, 1894, en dépliant; sur la taille, voir p. 23-30.

4. *Répertoire universel et raisonné de jurisprudence civile, criminelle, canonique et bénéficiale*, mis en ordre par M. Guyot, Paris, 1785, t. XVII, p. 3-41; *Nouveau Code des tailles ou Recueil des ordonnances, édits...et arrêts rendus...depuis 1270 jusqu'à présent*, A Paris, chez Prault, 1740, p. 83 s., 109-112; Ed. Esmonin, *La Taille en Normandie au temps de Colbert (1661-1683), Etudes sur les Institutions financières de la France moderne*, Paris, Hachette, 1913; voir surtout chapitre VII. *La Perception, 4, Les Receveurs*, p. 428-446.

5. Cité par M. Marion, *op. cit.*, p. 529.

6. *Inventaire et extraits des papiers de famille.*

7. *Nouveau Code des Tailles...*, Paris, 1740, p. 1057-1066.

8. Cogebat Regi qui vectigalia morti

Solvere vectigal cogitur ipse suum,

Inhumation de Me René Hervoil receveur des tailles, âgé de 65 ans, 15 novembre 1652, *Registres de catholicité de Saint-Thomas de La Flèche* (après 1633), *Archives départementales de la Sarthe*, Supplément E.

9. Le contrat a été retrouvé par Thierry de la Bouillerie aux *Archives départementales de la Mayenne*, fonds E, *Familles*, qui me l'a aimablement communiqué. Thierry de la Bouillerie est un neveu de M. de la Dauversière par Marie-Julienne Roullet de la Grange de la Bouillerie qui épousa le 9 septembre 1742 dans la

chapelle du château de la Bouillerie, paroisse de Crosmières, André-Louis Le Royer de la Motte, arrière-petit-fils de M. de la Dauversière, cf. *Inventaire et extraits.*

10. Le Testament se trouve au fonds des Cordeliers du Mans, *Archives départementales de la Sarthe*, H. 1271 (Dans le même fonds se trouve le testament d'Antoinette de Baugé, femme de Jérôme Grudé, sieur de Veillecour, 1623, *Arch. départ.Sarthe*, H. 1284; elle fit également un legs aux Jacobins, que l'on connaît par un acte de 1649, ib. H. 1181).

11. Dans la tragédie des *Juives.*

12. *Les Véritables motifs*, p. 28.

13. Visitation de Nantes, Imprimés, *Lettres de nos monastères et vies de nos sœurs depuis la fondation de notre Saint Ordre jusqu'à l'année 1853*, t.XXII, fol. 217-222.

14. J. Grandet, *Les Saints Prêtres français du XVII siècle*, publié par G. Letourneau, Angers-Paris, 1898, t. III, *Prêtres angevins*, p. 256-259.

15. Voir G.-M. Oury, *Petites Chroniques de la Gâtine tourangelle*, Chambray-les-Tours, C.L.D. 1974, p. 101-109.

16. P. Calendini, *Le couvent des Filles de Notre-Dame de La Flèche*, La Flèche, Besnier, 1905.

17. *Inventaire des Titres et Papiers du Trésor des Pauvres jusqu'en l'année 1781*, 1 tiroir, cote D. *Archives départementales de la Sarthe*, H. 1916.

18. P. Ubald d'Alençon «Le livre des Sept Trompettes», dans *Annales fléchoises*, t. X, 1909, p. 110-114.

19. L. Calendini, «Noël fléchois du XVII siècle», dans *Annales fléchoises*, t. II, 1903, p. 357-361.

Église Notre-Dame-du-Chef-du-Pont à La Flèche
État ancien

Chapitre III

LES ÉTAPES D'UNE VOCATION

Lorsque M. de la Dauversière mourut, le 6 novembre 1659, son ami de toujours, le baron de Fancamp, fit l'inventaire de ses papiers de conscience; les autres, les papiers de famille furent classés par son fils aîné, Jérôme; quant aux papiers relatifs à sa charge de receveur des tailles, les scellés furent apposés très tôt par l'autorité royale.

Peu avant sa mort, M. de la Dauversière avait brûlé lui-même presque tout ce qui concernait sa vie intérieure, c'est-à-dire son journal spirituel.

«J'ai trouvé trois cahiers de reste de plus de 200 qu'il brûla un mois devant sa mort,» écrit Fancamp au P. Chaumonot, à Québec. Ces trois cahiers couvraient un trimestre, puisque l'ami de M. de la Dauversière parle des «trois mois qu'ils contiennent»[1]. Les cahiers étaient donc de format réduit et court, chacun n'excédait pas les quelques pages nécessaires pour dire l'essentiel des grâces du mois.

Selon les indications données par M. de Fancamp M. de la Dauversière n'aurait commencé à rédiger son journal qu'au printemps de l'année 1633, six mois après ce qu'il appelle «sa conversion» qui eut lieu à la fin de l'année 1632, ainsi qu'on le verra plus loin; les grâces qu'il reçut ensuite pendant six mois furent d'une telle intensité que «son confesseur, fort éclairé, y appréhendant de la tromperie, l'obligea de communiquer avec tout ce qu'il y a de plus éclairé et particulièrement avec les principaux de votre Compagnie (la Compagnie de Jésus)»[2].

Il est logique d'en conclure que, après quelque temps, son confesseur lui demanda, selon une pratique alors courante, de mettre par écrit ce qu'il vivait dans sa prière, après avoir raconté l'essentiel de sa vie antérieure.

Les «Cahiers» de M. de la Dauversière, dont M. de Fancamp a recueilli et lu les trois qui avaient survécu devaient ressembler beaucoup à ce que l'on appelle les «Mémoires» de M. Olier[3].

En effet, celui-ci s'étant adressé en février 1642 à Dom Bataille, de l'abbaye de Saint-Germain-des-Prés, pour sa direction spirituelle, puisqu'il n'avait plus personne à qui demander régulièrement conseil depuis la mort du P. de Condren, le 7 janvier 1641, le moine lui demanda de rédiger une relation autobiographique relatant les grâces principales qui avaient marqué son itinéraire spirituel, et il a poursuivi ensuite au jour le jour, à l'intention de son directeur.

Le même schéma s'applique certainement à M. de la Dauversière : un récit probablement succint des grandes étapes antérieures à la «conversion»; on peut même faire une supposition: si trois cahiers couvrent trois mois, il avait l'habitude de commencer un cahier nouveau chaque mois : quelques feuillets pliés en cahier, les dernières pages demeurant vierges; les deux cents cahiers auraient conduit ainsi jusque vers l'année 1650, après quoi M. de la Dauversière aurait cessé de consigner par écrit les événements de sa vie antérieure.

Que sont devenus les trois cahiers? Il semble que M. Fancamp les ait gardés par devers lui. On sait maintenant qu'il mourut entre le 18 et le 22 juin juin 1692, dans une maison du cloître Saint-Honoré à Paris[4]. Son filleul, Joseph Le Royer, curé de Bazouges venait de mourir un mois plus tôt, le 2 mai 1692, dans son presbytère, au milieu de la petite communauté des prêtres qui s'était groupée autour de lui. Quant à Jérôme l'aîné, le lieutenant-général au présidial de La Flèche, il était mort le 16 janvier 1692. Ainsi dans la même année avaient disparu trois personnes susceptibles d'avoir conservé les documents autobiographiques peu nombreux que M. de la Dauversière n'avait pas détruit lui-même.

Je suppose cependant que M. de Fancamp s'était dessaisi des trois cahiers au bénéfice de la famille à une date qu'il est difficile de préciser. Car le fils de Jérôme, donc le petit-fils de M. de la Dauversière, a écrit à la fin de son court *Mémoire* : «Voilà ce que j'ai extrait des mémoires que feu mon père m'a laissés de la vie de Jérôme, mon aïeul»[5].

Le *Mémoire* est malheureusement très court; les souvenirs s'y suivent sans ordre logique. En fait, ce ne sont que des notes, non une «histoire»; et il semble qu'il y ait à cela une explication.

En 1697 à Montréal, sur la demande de «plusieurs de nos sœurs de nos couvents de France (qui l'en avaient) pressé fortement»[6], Marie Morin commença à rédiger la préhistoire de la chronique des Hospitalières de Montréal, comme elle l'avait entendue raconter aux premières sœurs arrivées en 1659 et comme elle l'avait vécue elle-même à partir de 1662. Elle y parlait longuement de M. de la Dauversière. Dès la fin de la rédaction de l'«Histoire simple et véritable» qui fut lente, à cause de son «peu de loisir», une copie fut envoyée à La Flèche.

Au cours du premier quart du XVIII siècle, la sœur Hardouyneau de Vaugermain, supérieure des Hospitalières de La Flèche, se préoccupa de colliger les documents historiques qui pourraient permettre dans un avenir prochain d'écrire l'histoire des Hospitalières. Elle semble alors avoir communiqué le travail récent de sœur Marie Morin à Joseph-Jérôme Le Royer, petit-fils de M. de la Dauversière, en lui demandant s'il avait des documents inédits permettant de compléter la documentation déjà réunie; c'est à ce moment que le petit-fils rédigea son *Mémoire* qui est seulement une collection de notes additionnelles, tirés de documents écrits en sa possession, reçus en héritage de son père.

Il était nécessaire de faire l'histoire de ce long cheminement pour expliquer pourquoi, subitement vers 1715 surgit la copie ou le résumé d'un document autobiographique qui remonte, croyons-nous à l'année 1633. Un document composé vers 1715 n'aurait aucune valeur aux yeux de l'historien, ou seulement celle d'une tradition invérifiable, d'un vague souvenir, tandis qu'un document contemporain des faits revêt une valeur unique. Voici comment le petit-fils résume la première grande intuition spirituelle de M. de la Dauversière :

«Le jour de la Purification de l'année 1630, Jérôme Le Royer de la Dauversière, receveur des tailles à La Flèche, ayant communié et s'étant consacré à la Sainte-Famille ; lui, sa femme et ses enfants, en faisant ses prières, se sentant animé d'une ferveur extraordinaire et comme ravi en extase, il lui sembla que Dieu lui commandait de travailler à l'établissement de la Congrégation des Filles Hospitalières de La Flèche et qu'il lui dictait comme mot à mot le premier chapitre de leurs Constitutions.»

On peut essayer une restitution du texte original que le petit-fils a mis à la troisième personne, et l'on aurait alors les premières lignes de la *Relation spirituelle* de 1633, le premier Cahier trouvé par M. de Fancamp :

«Le jour de la Purification de l'année 1630, moi, Jérôme Le Royer de la Dauversière, receveur des tailles à La Flèche, ayant communié et m'étant consacré à la Sainte-Famille, moi, ma femme et mes enfants, en faisant mes prières, me sentant animé d'une ferveur extraordinaire et comme ravi en extase, il me sembla que Dieu me commandait de travailler à l'établissement d'une Congrégation de Filles Hospitalières à La Flèche et me dictait comme mot à mot le premier chapitre de leurs Constitutions.»

Ainsi formulé le texte est parfaitement cohérent, même si la première communauté qui fut formée en 1636 et organisée en 1640, n'existait encore qu'en projet en 1633, et si les Constitutions, rédigées sous leur forme définitive entre 1640 et 1643, ne furent approuvées par l'évêque d'Angers qu'en 1643.

Le jour de la Purification est celui de la fête patronale de la *Grande Congrégation de la Sainte Vierge*, celle des notables et des élèves des hautes classes; c'est un jour de communion; les réunions ont lieu habituellement dans la chapelle des externes du Collège, mais il est possible qu'elle ait eu lieu dans la petite église de pèlerinage de Notre-Dame-du-Chef-du-Pont, souvent fréquentée par les élèves et les anciens élèves. Le petit-fils ne précise pas dans son *Mémoire*; ce sont les Hospitalières qui le feront dans leurs *Annales* : ce détail relève d'une tradition conventuelle qui n'est peut-être pas aussi assurée que le reste.

Les membres de la grande Congrégation ont prononcé ensemble, après la communion une formule de consécration à la Sainte Famille. Cette formule, nous en connaissons la teneur, car elle a été conservée dans les archives de plusieurs maisons d'Hospitalières; il faut la reproduire ici :

«Au nom du Père et du Fils et du Saint-Esprit. Amen. Sainte
Marie, Vierge et Mère de Dieu, je N.N....., prosterné très
humblement à vos pieds, poussé du désir de vous plaire, et
me confiant en votre bonté et en votre puissance :
aujourd'hui en la présence et sous le bon plaisir de mon
Créateur et souverain Seigneur, votre Fils, en présence de
votre glorieux Epoux Saint-Joseph, des saints et saintes N.N.
nos patrons et patronnes et de toute la Cour céleste,
consigne entièrement et sans réserve entre vos mains tout
ce que je possède et tout ce que je posséderai dans le
temps à venir et dans l'éternité.

«Je propose de ma part, en échange, de procurer toute ma
vie et par tous les moyens que ma condition permettra,
l'avancement de votre gloire et de votre service,
singulièrement l'honneur et l'estime de votre Immaculée
Conception, toujours sous le bon aveu de l'Eglise.

«Sainte Marie, Mère de Dieu, ayez cette très humble
offrande pour agréable, bénissez du trône de votre gloire
cette petite famille, laquelle maintenant est plus vôtre
qu'elle n'est mienne, et priez pour nous pauvres pécheurs,
maintenant et à l'heure de notre mort. Ainsi soit-il[7].»

La formule était prononcée à haute voix par les membres de la
Congrégation chargés de famille; il est possible que leurs épouses
aient été aussi présentes et se soient associées à la consécration
(«des saints et saintes nos patrons et patronnes»); ensemble ils
renouvellaient la consécration de leurs familles à Notre Dame, en
présence de son Divin Fils et de Saint Joseph et de toute la Cour
céleste.

M. de la Dauversière a fait ensuite son action de grâces, en se
servant d'actes lus dans le petit livre des Congrégations mariales
(«en faisant ses prières»); c'est à ce moment qu'il s'est senti animé
d'une ardeur extraordinaire et qu'il eut comme une extase. Sa
première mission lui fut dévoilée avec une précision surprenante :
réunir pour le service de l'Hôtel-Dieu de La Flèche, une
communauté (ou congrégation) de Filles, dont le mode de vie
sera d'imiter «autant qu'il est possible l'ancienne vertu et sainteté
des premiers chrétiens qui étaient dans le monde sans être du
monde», en étant «spécialement dédiés au service de Jésus-Christ

en la personne des pauvres qui sont ses membres»(1 chapitre des constitutions)[8].

Au moment où survient cette grâce d'illumination, M. de la Dauversière approche de ses trente-trois ans; mais il n'agit pas tout de suite, ou, s'il le fit, rien n'apparaît encore; il attend un signe de Dieu, car il n'a pas de titre particulier à s'immiscer dans les affaires de l'Hôtel-Dieu, qu'il connaît parfaitement; il se contente de seconder les administrateurs en titre.

Le second événement dans la vie spirituelle de Jérôme Le Royer se produisit dans la seconde moitié de 1632; il venait de perdre sa mère; nous le connaissons par la lettre de M. de Fancamp au P. Chaumonot, du 16 avril 1660; la lettre a été reproduite dans l'*Histoire simple et véritable* de sœur Marie Morin; le petit-fils de M. de la Dauversière l'a vue et n'a pas jugé nécessaire d'y ajouter de précisions nouvelles.

> «Vingt-sept ans avant sa mort (ce serait donc à l'automne 1632), écrit Fancamp, il s'était totalement donné à Dieu, ayant été terrassé par une maladie inconnue où les médecins ne connaissaient goutte».[9]

M. de la Dauversière voit dans cette maladie un signe de Dieu : il vivait en bon chrétien et en bon père de famille; il appartenait à l'élite nouvelle, telle que rêvaient de la constituer les Jésuites pour refaire une chrétienté, c'est-à-dire un monde organisé et aménagé selon les principes de la Réforme catholique. Mais il sentait qu'il lui manquait encore quelque chose; il n'y avait pas encore chez lui cette totale donation à Dieu, qui fait du chrétien un authentique serviteur; il ne pouvait dire encore en toute vérité, comme il le fera sur son lit de mort en répondant à son ami Fancamp : «Vous savez mon fond : Dieu est le maître.» [10]

Le tournant est donc pris en cette fin de l'année 1632, et ce seuil franchi, M. de la Dauversière va se préoccuper plus concrètement de réaliser ce que Dieu lui a montré le 2 février 1630 comme une évidence et comme sa mission propre.

Mais il faut attendre le printemps de 1633 pour assister à une irruption de grâces inconnues jusqu'alors, le début d'une vie mystique dont nous savons quelque chose - trop peu - grâce aux confidences du P. Etienne, un Récollet de La Flèche, et de M. de Fancamp, qui ont suivi toutes deux sa mort.

«Depuis le moment de sa conversion, écrit le premier, il n'a cessé d'agir et de pâtir avec amour et fidélité, selon les desseins et volonté de Dieu...Je ne puis vous dire autre chose du défunt, sinon que l'esprit de Dieu qui résidait et opérait en lui, lui a appris à unir le mariage avec la continence, le monde avec la religion, les honneurs avec l'humilité, les offices et les charges les plus périlleuses pour le salut avec l'innocence de vie, et enfin les richesses avec la pauvreté[11].»

Le baron de Fancamp est encore plus spécifique : «Six mois après sa conversion, il reçut tant de caresses de Notre Seigneur et de si extraordinaires, que son confesseur, fort éclairé, l'obligea de communiquer avec tout ce qu'il y a de plus éclairé...» Ce passage a été cité plus haut; l'ami de M. de la Dauversière ajoute : «Non seulement Notre Seigneur lui faisait ses grâces pour son utilité, mais encore pour plusieurs autres personnes qui l'approchaient...» Il parle lui-même d'expérience. «Entre autres grâces qu'il a reçues, en voici une bien singulière. Il a eu l'honneur de voir à ses côtés l'humanité sainte de Jésus-Christ six semaines durant, sans discontinuation, avec laquelle il traitait familièrement...» Cette grâce, M. de Fancamp ne l'a pas connue en lisant les trois Cahiers de notes spirituelles qui n'avaient pas été détruits, mais par une conversation : «Il l'a avoué à Monsieur de Renty qui l'a beaucoup aidé[13].»

C'est tout ce que nous savons par Fancamp, mais c'est assez pour rapprocher M. de la Dauversière des autres mystiques de son époque que nous connaissons plus complètement par les *Relations spirituelles* qu'ils ont laissées, ou par les biographies qui leur ont été consacrées tout de suite après leur mort. On pense principalement au baron de Renty qui l'a précédé dans la mort bien qu'il fût son cadet de quatorze ans (1611-1649) : il mourut le 24 avril 1649 à l'âge de 37 ans, après avoir mandé à son ami de La Flèche, tombé gravement malade - un passage de sa lettre est cité littéralement dans le *Mémoire* du petit-fils - :

«Mon cher frère, Dieu m'a fait connaître que vous ne mourrez pas de cette maladie et qu'il vous conserverait pour votre famille et les affaires qui concernent sa gloire et son service...»[14]

On pense aussi à Monsieur de Bernières, l'ami de Marie de l'Incarnation et de Saint Jean Eudes, de cinq ans plus âgé que M. de la Dauversière, qui mourut la même année que lui, le 3 mai 1659; il était Trésorier de France à Caen, et donc publicain comme lui.

Nous ne sommes pas complètement ignorant des expériences spirituelles de M. de la Dauversière et de sa vie mystique; il en existe d'autres témoignages : en particulier la grâce reçue à Notre-Dame de Paris en 1635 «racontée par lui-même dans un de ses entretiens spirituels, en présence de nos premières mères (à Moulins) en 1652, et de nos sœurs Haret, Renudet, Venuat et d'Obeich, novices, qui nous l'ont racontée plusieurs fois», écrit Mère Péret dans ses *Annales*.

Il est nécessaire ici de reproduire ce récit; il n'appartient pas seulement à la tradition orale : les sœurs de Moulins ont dû le mettre par écrit - sans le dire à l'intéressé, bien sûr - dès après l'entretien spirituel qu'il fit lors de son voyage à Moulins après la mort de Marie de la Ferre, en août-septembre 1652, quand il vint installer la nouvelle supérieure, sa propre fille Jeanne.[15]

Voici ce qu'on lit : «M. Le Royer, étant arrivé à Paris, se crut obligé avant que de traiter aucune affaire, de commencer, selon sa louable coutume, par les dévotions ordinaires; il alla donc à l'église de Notre-Dame pour rendre ses devoirs à cette Mère de Bonté et se mettre sous sa protection, la priant de bénir toutes les entreprises, puisqu'il ne désirait en tout que la plus grande gloire de Dieu et l'accomplissement de sa très Sainte Volonté.

«Après sa communion, il resta longtemps à faire son action de grâces, intimement uni à Dieu; étant demeuré seul aux pieds de la Sainte-Vierge, tout embrasé d'amour et comme hors de lui, il vit distinctement Jésus, Marie, Joseph, et entendit Notre Seigneur qui, s'adressant à la Sainte Vierge, lui dit;

—Où pourrai-je trouver un serviteur fidèle?
Il répéta trois fois : Un serviteur fidèle!

«La Sainte Vierge lui répondit :
—Voici, Seigneur, ce serviteur fidèle!

en prenant M. Le Royer par la main et le présentant à son très cher Fils; en même temps Notre Seigneur le reçut avec bonté et lui dit:

—Vous serez donc désormais mon serviteur fidèle; je vous revêtirai de force, et de sagesse; vous aurez pour guide votre Ange gardien; travaillez fortement à mon œuvre, ma grâce vous suffit et ne vous manquera point; recevez cet anneau et en donnez un semblable à toutes celles qui se consacreront dans le Congrégation que vous allez établir.

«Ce Dieu de bonté lui mit cet anneau au doigt annulaire; il y avait autour cette inscription : *Jésus, Marie, Joseph*, telle que les Hospitalières les portent aujourd'hui, puisque celui que reçut miraculeusement M. Le Royer en fut le modèle, excepté que le sien était d'un or très pur, que celui de ses filles n'était que d'argent...»

Il est clair que M. de la Dauversière n'a pas raconté cette vision ou cette extase qu'il eut à Notre-Dame de Paris pour le plaisir d'en parler; son récit fait partie d'un entretien sur les rites d'engagement, tels qu'ils sont décrits dans les *Constitutions* de 1643, approuvées par Mgr de Rueil, évêque d'Angers; on y lit en effet:

«Toutes les filles et sœurs domestiques qui, après les huit ans ordonnés ci-dessus, auront fait lesdits vœux pour le reste de leur vie, porteront toujours au doigt un anneau d'argent autour duquel seront écrits les sacrés noms de *Jésus, Marie, Joseph*, lequel anneau (étant béni par le prêtre selon la forme ci-dessous décrite, à la fin de la messe, à laquelle la personne aura communié après avoir fait ses vœux), lui sera mis au doigt par le même prêtre...»[16]

Sœur Morin dans son *Histoire simple et véritable* raconte la même vision d'une manière un peu différente, selon le récit, qu'elle a elle-même entendu de la bouche des sœurs arrivées à Montréal en 1659[17]; mais le récit des *Annales* de Moulins semble devoir être préféré, comme le reflet immédiat de ce qu'a raconté en conférence à Moulins M. de la Dauverière à l'été 1652, évoquant les vœux perpétuels prononcés par Marie de la Ferre, la fondatrice quelques mois avant sa mort, le 22 février 1652.

Mais avant d'aller plus loin, il est temps d'évoquer une parenté spirituelle qui a marqué la physionomie de Jérôme Le Royer; celle du petit pauvre d'Assise.

1. La lettre a été reproduite («Copie fidelle») par sœur Marie Morin, dans son *Histoire simple et véritable, Les Annales de l'Hôtel-Dieu de Montréal, 1659-1725*, éd. critique par Ghislaine Legendre, Montréal, Les Presses de l'Université, 1979, p. 108-115; le passage cité se trouve p.108.

2. *Ib.*

3. Etudiés, mais d'une façon quelque peu équivoque par M. Dupuy, *Se laisser à l'Esprit, Itinéraire spirituel de Jean-Jacques Olier*, Paris, Les Editions du Cerf, 1982.

4. Paris, *Archives Nationales, Minutier Central* LXXXIII, 205, Claude Camet, Notaire; la découverte de ce document important a été faite par M. Pierre-Yves Louis, auteur d'une étude intitulée : «Note sur la famille Chevrier et le château d'Acqueville de la fin du XVI siècle à la Révolution, rédigée à partir de documents inédits conservés aux Archives Nationales», *Chronos*, no.11, janvier 1984, p. 15-18 (*Cercle d'Etudes Historiques et Archéologiques de Poissy*).

5. *Mémoire de quelques particularités arrivées en l'établissement des Filles de Saint-Joseph de La Flèche*, par Joseph-Jérôme Le Royer de la Motte, petit-fils de M. de la Dauversière : copie dans le manuscrit de sœur Hardouyneau de Vaugermain, vers 1715, *Archives des Hospitalières de La Flèche*, p. 1.

6. Marie Morin, *Histoire simple et véritable...*, p. 8.

7. Nous reproduisons ici l'*Acte* tel qu'il est transcrit dans les *Annales de Baugé*, p.16, conservées maintenant aux *Archives de l'Hôtel-Dieu de La Flèche*.

8. *Constitutions des Filles Hospitalières de Saint-Joseph*,s.l.n.d. (25 octobre 1643), p.6.

9. Marie Morin, *Histoire simple et véritable...*, p. 108.

10. *Ib.*, p. 112.

11. Lettre du P. Etienne, 30 janvier 1660; copie dans *Annales de Moulins*, rédaction A,t. II, f 138-140, *Archives de l'Hôtel-Dieu de La Flèche.*

12. Marie Morin, *Histoire simple et véritable...*, p. 108.

13. *Ib.*, p. 109.

14. *Mémoire du petit-fils*, p.3.

15. *Annales de Moulins*, voir *Positio pour la béatification de M. de la Dauversière, Recueil Annexe*, p. 361.

16. *Constitutions...*, p. 104-105.

17. Marie Morin, *Histoire simple et véritable...*, p. 26 : elle en fait la vision initiale qui serait à l'origine de la fondation de l'Hôtel-Dieu de Montréal.

Maison de M. de la Dauversière,
rue de l'Ave à La Flèche (État ancien)

Chapitre IV

À L'OMBRE DU PAUVRE D'ASSISE

Les Jésuites occupaient une grande place à La Flèche depuis 1604, mais ils n'occupaient pas toute la place; en 1604 également, des Franciscains réformés, les Récollets, ont été substitués par volonté royale, mais non sans résistance, aux Cordeliers installés dans la ville depuis le Moyen Age; la famille religieuse était la même, le style de vie ne l'était pas. Les Frères Mineurs ou Cordeliers sont partout présents dans la littérature du bas Moyen Age et de la Renaissance : quand on parle des moines bons vivants et paillards, c'est surtout à eux que l'on pense; il en est ainsi par exemple dans l'*Heptameron* de Marguerite de Navarre; on les a souvent calomniés, à l'instar des Jésuites, mais les Récollets donnaient un autre exemple en ce début du XVII siècle.

Ils proviennent d'un mouvement de réforme né en Castille, dans les premières années du XVI siècle; on les appelait Récollets à cause de leur volonté de séparation du monde et de recueillement. Ils eurent assez vite des provinces en Italie.

En France, ce sont les Gonzague, ducs de Nevers qui les introduisirent dans leur duché, les faisant venir d'Italie en 1592-1593; ils se développèrent rapidement en France où ils formèrent en 1612 la province de Saint-Denis. En 1619 en vertu de la bulle *Exponi nobis* du 11 mai 1619, la province fut divisée, donnant naissance à celle de Sainte-Marie-Madeleine d'Orléans : érigée par les soins du P. Chapouin, cette nouvelle circonscription comprenait les couvents d'Orléans, de La Flèche, d'Angers, de Beaufort, de Doué, de Saumur, de Vitré, de Fougères, de La Ferté-Bernard, de Châteaudun, de Château-du-Loir, du Lude, de Tours, de Nantes, et deux «hospices», c'est-à-dire des lieux de retraite, l'un dans la forêt de Chambiers près de Durtal, et un autre dans le faubourg Saint-Germain d'Angers.

Or dans cette province, cinq maisons se trouvaient placées sous le vocable de Saint-Joseph : Nantes, La Ferté-Bernard, Chambiers, Le Lude et la maison du faubourg Saint-Germain d'Angers qui ne devait être défintivement établie qu'en 1626.

L'on ne manque pas d'être frappé par la densité des implantations de l'Ordre dans un rayon d'une centaine de kilomètres autour de La Flèche; certains de ces couvents se trouvent dans l'Election même, c'est-à-dire dans le territoire que Jérôme Le Royer parcourait régulièrment pour l'accomplissement de son office de receveur des tailles : Le Lude, l'ermitage de la forêt de Chambiers près de Durtal étaient du nombre, tandis que Château-du-Loir est situé dans une enclave qui pénètre dans le territoire de l'Election; d'autres sont plus éloignés, mais à peine : Beaufort, les maisons d'Angers.

Les archives du couvent de La Flèche sont pauvres; elle ne sont pas totalement inexistantes; le monastère était placé sous le patronage de Saint-Sébastien, un saint extrêmement populaire, invoqué dans toutes les églises pour protéger les chrétiens de la peste dont les épidémies sont nombreuses en ce début de siècle : déjà en 1583-1584, une épidémie de peste bubonique a éclaté en Anjou; une nouvelle épidémie, moins meurtrière, est signalée en 1598-1599; on la voit reparaître en 1600 et sévir de façon endémique jusqu'en 1606; puis pendant vingt ans de 1606 à 1625, Angers et l'Anjou semblent jouir d'une longue accalmie; la peste reparaît un peu partout dans la province en 1625, 1626, 1627, notamment à La Flèche, puis en 1631 et 1632; si les épidémies cessent généralement à partir de 1640, on avait bien des raisons d'invoquer Saint Sébastien; en de nombreuses paroisses des confréries sont fondées en son honneur : ce sont les plus nombreuses après les confréries du Saint-Sacrement et celles du Rosaire.

Les quelques rentes possédées avant 1604 par les Cordeliers sont transférées à l'Hôtel-Dieu; mais cela prit du temps; l'opération se fit seulement en 1628 : Me André Bouchard, administrateur du bien des pauvres à La Flèche présente une requête à l'évêque d'Angers pour que les dons et legs faits aux Pères Cordeliers et leurs arréages (c'est-à-dire les annuités en retard) soient affectés à la reconstruction de l'Hôtel-Dieu; l'évêque y répondit favorablement le 8 novembre, sous réserve que les titres des fondations de Messe lui seraient présentés et la requête communiquée aux fondateurs, les héritiers des familles pour qui les messes étaient dites. Il porta ensuite, le 9 juillet 1629, un décret selon lequel ces fondations seraient acquitées à l'Hôtel-Dieu, moyennant la célébration de deux messes par semaine, l'une le dimanche, l'autre le vendredi (ou, si une fête tombait en semaine, le jour même de cette fête). Des lettres patentes royales furent obtenues le 5 février 1630 et enregistrées au Parlement le 15 mars; en conséquence, il fallut nommer un chapelain pour s'acquitter de ces deux messes hebdomadaires dans la chapelle Sainte-Marguerite de l'Hôtel-Dieu. M. Souchard, l'administrateur présenta pour cette fonction M. Sébastien Cador, le 6 juillet 1630[1].

Par désir de plus grande fidélité à l'esprit de pauvreté de Saint-François, les Récollets ne voulaient pas accepter de fondations de Messes qui leur assurent des rentes régulières; ils vivaient uniquement des aumônes qui leur étaient faites lors des nombreuses prédications des Pères dans les paroisses, et des quêtes.

Les Récollets avaient des fraternités du Tiers-Ordre; mais pour La Flèche les renseignements sur le monastère sont peu nombreux, alors que pour le couvent voisin de Château-du-Loir et celui de Lude l'on est un peu mieux renseignés par les *Registres des religieux décédés* et les *Registres des pricipaux bienfaiteurs*.

Les Récollets recouraient au service du syndics laïcs pour l'administration et la gérence des sommes qu'ils recevaient en aumône, car leur volonté était de pratiquer conventuellement la pauvreté rigoureuse rêvée par Saint-François, mais difficile à traduire dans le concret de la vie quotidienne.

Un syndic est un procureur, celui qui a la charge d'agir au nom d'une communauté et de prendre soin de ses affaires. En vertu de la bulle *Exsultantes* de Martin IV, en date du 18 janvier 1283, les gardiens des couvents de Frères Mineurs avaient la faculté de nommer au nom du Saint-Siège des économes laïcs ou syndics pour administrer les aumônes, régir les biens du monastère, procéder aux ventes et aux achats à la demande du chapitre, signer les contrats et agir en justice.

M. de la Dauversière fut syndic du couvent des Récollets de La Flèche après Christophe Fontaine qui exerçait encore cette charge en 1629 : son nom figure dans le court recueil intitulé *Remarques chronologiques sur ce qui regarde le couvent des Récollets de La Flèche*, composé en 1741[2]. Il appartenait donc nécessairement au Tiers-Ordre. Les Tertiaires de Saint-François, vivant dans le monde, sont témoins et messagers de la spiritualité du petit pauvre auprès des hommes et des femmes de leur temps; par le Tiers-Ordre l'idéal évangélique vécu par François au XIII siècle a pénétré dans tous les milieux, depuis les plus élevés jusqu'aux plus simples. Au XVII siècle, les exigences sont moins grandes qu'au temps même de Saint François où, au sein des communautés de pénitents, les frères s'efforçaient dans les conditions particulières de leur existence dans le monde de pratiquer la manière de vivre des Frères Mineurs, promettant de s'abstenir de tout serment, sauf en des circonstances exceptionnelles, à ne point porter d'armes, à n'accepter aucune charge publique, et à revêtir un costume particulier, proche de celui des frères par sa pauvreté et sa forme. Mais pour qui prenait au sérieux son engagement, un champ restait ouvert à la générosité et à la pratique de la pauvreté au sein de l'état de vie où il se trouve.

Il n'existe pas de témoignage explicite de l'action de M. de la Dauversière comme syndic des Récollets avant le 10 septembre 1632; mais les dates elles-mêmes sont parlantes. La grâce du 2 février 1630 a décidé Jérôme Le Royer à s'engager plus avant dans l'action au service des pauvres. Pour le moment, il n'y a pas grand chose à faire pour l'Hôtel-Dieu, l'on en demeure aux lointains projets de construction d'un bâtiment, évoqués par M. Souchet, administrateur, en 1629. Il accepte donc cette lourde charge, rendue plus facile pour lui qui a l'habitude du maniement de sommes autrement importantes que le budget des aumônes d'un monastère comme celui de La Flèche.

Les premières transcations opérées par M. de la Dauversière en qualité de syndic - celles dont on a encore connaissance - sont du 10 septembre 1632 et du 16 novembre 1633[3].

Les Religieux Mendiants vivaient principalement d'aumônes et de dons faits à l'occasion des prédications; ils quêtaient; pour cette raison, l'établissement de plusieurs communautés de ce type dans une ville posait des problèmes, et des précautoins avaient été prises dans le Droit canonique à cet égard pour assurer une distance minimale entre ces couvents; La Flèche était une petite ville, aussi Jérôme Le Royer fut-il chargé de faire opposition à l'établissement des Carmes de la province de Touraine au Vieux Château, dans l'île près de l'église Notre-Dame-du-Chef-du-Pont qui allait servir de chapelle conventuelle (30 septembre 1634)[4]; la fondation se fit néanmoins l'année suivante en 1635 et les nouveaux religieux se firent les apôtres de la dévotion à Saint Joseph. L'installation des Carmes fut suivie de celle des Capucins en 1636[5].

Au cours de l'année 1639, M. de la Dauversière assure la surveillance des travaux faits au couvent de La Flèche[6]; les Récollets se trouvaient dans la nécessité d'établir une canalisation passant sous le terrain d'un voisin pour amener l'eau du Loir dans l'enclos de leur couvent. Il existe encore un acte du 24 septembre 1649 où le receveur des tailles apparaît en qualité de syndic[7]; peut-être après cette date demanda-t-il à être relevé de cette responsabilité; il devait avoir alors beaucoup de peine à mener de front toutes ses activités caritatives à côté de son office : les Filles de Saint-Joseph qu'il avait fondées à La Flèche préparaient leurs premières fondations et les affaires de la colonie de Montréal devenaient plus lourdes maintenant que le baron de Renty avait disparu.

La Dauversière s'est adressé souvent à ses anciens professeurs du Collège ou aux Pères pour ses entreprises; il leur a demandé conseil; son confesseur lui demande et lui fit même une obligation en 1633, au moment de ses grandes grâces mystiques, de communiquer avec d'autres que lui-même et particulièrement avec les principaux de la «Compagnie» de Jésus; mais ce confesseur n'est pas un Jésuite, c'est le P. Etienne, du couvent des Récollets, à qui les Hospitalières demandèrent après sa mort «l'état de sa vie et de sa précieuse mort».

Il paraît avoir continué à s'adresser à lui, presque jusqu'à sa mort, lui demeurant fidèle; les communications avec les Jésuites dans le domaine de la conscience étaient seulement occasionnelles; elles concernaient principalement les entreprises apostoliques et les affaires des Filles de Saint-Joseph, car Marie de la Ferre, au contraire du fondateur s'est toujours adressée à des directeurs de la Compagnie de Jésus, qui l'ont beaucoup aidée.

De ce fait, l'influence franciscaine a été importante dans la vie de Jérôme Le Royer; elle reste difficile à mesurer; mais nous avons la certitude que l'ancien élève des Jésuites, le membre fervent de la Congrégation des externes n'est pas resté dans le sillage exclusif de la Compagnie. Il a médité la vie de Saint-François et a compris à son école l'amour des pauvres et de la pauvreté :

> «C'est là la grandeur de cette très haute pauvreté, écrit Saint-François dans sa deuxième Règle, qui vous a établis, mes frères très chers, héritiers et rois du Royaume des cieux, qui vous a fait pauvres des choses périssables et vous a élevés dans l'ordre de la vertu. Qu'elle soit votre partage, elle qui vous conduit à la Terre des vivants. Attachez-vous y totalement, frères bien-aimés, et tenez à n'avoir rien d'autre sous le ciel pour le nom de Notre Seigneur Jésus-Christ»[8].

On ne peut manquer d'être impressionné en lisant les *Constitutions* des Filles de Saint-Joseph («ces pieux règlements et constitutions qu'il vous a donnés», écrit le P. Etienne, le 30 janvier 1660) de la place occupée par le pauvre dans la vision de M. de la Dauversière. Tout est imprégné d'un sens très aigu de la charité dûe aux membres souffrants du Seigneur.

Il racontait volontiers que son œuvre était fondée sur la charité et la pauvreté : «les premières aumônes du dehors qui furent données furent deux deniers que donna un petit pauvre et un denier que donna une pauvre femme», lit-on dans le *Mémoire* du petit-fils [9], et l'on sait maintenant quelle autorité accorder à ce document.

Il semble même que M. de la Dauversière préfère le terme de «pauvre» à celui de «malade»; on s'attendrait à l'inverse, s'agissant d'un Hôtel-Dieu.

Les Filles de Saint-Joseph qu'il se propose de réunir pour le service de l'Hôtel-Dieu de la Flèche quand celui-ci aura été reconstruit et rénové, sont «spécialement dédiées au service de Jésus-Christ en la personne des pauvres qui sont ses membres»; c'est le 1° § du chapitre 1, qui définit l'Institut; celui dont il a eu l'inspiration le 2 février 1630; «les sœurs seront tendrement charitables envers les pauvres malades»[10].

Etant au service des pauvres, les sœurs seront pauvres elles-mêmes; tout de suite après avoir organisé la communauté, dans sa composition et sa hiérarchie d'une part, dans les relations avec le chapelain et les administrateurs de l'autre, M. de la Dauversière consacre un chapitre, le VII à la pauvreté :

> «Les Filles de Saint-Joseph s'étudieront à garder et pratiquer la pauvreté d'affection et d'effet, autant parfaitement que leur Institut le pourra permettre. Pour ce, tâcheront de vivre, quant à l'intérieur, avec une vraie désappropriation de tout, et quant à l'extérieur, se serviront pour le vivre et le vêtir de ce qui leur sera charitablement fourni par la communauté, en usant de tout avec indifférence, sans attache, comme de chose à elles gratuitement prêtées selon la nécessité»[11].

Bien que les sœurs ne soient pas des religieuses et que leur vœu soit privé, le luxe est absolument banni dans les fantaisies vestimentaires :

> «Que tout leur extérieur ressente la bienséance et modestie digne de la pauvre mais Sainte Famille de Notre Seigneur, toute dédiée au service des pauvres».

Ce que possède la communauté est au service des pauvres dans les commencements, avant le temps des fondations hors de La Flèche; le sœurs partagent ce qu'elles ont :

> «Il ne sera permis à la supérieure et la dépositaire d'employer aucuns deniers, sinon pour l'entretien des pauvres et de la communauté, ménageant tout ce qui leur sera remis entre les mains, plus soigneusement et fidèlement que s'il leur appartenait, comme bien particulièrement propre de Notre Seigneur»[12].

On admire la logique : les pauvres sont les membres de Notre Seigneur; l'argent que la charité chrétienne met à leur disposition, le bien des pauvres, c'est le bien «particulièrement propre» de Notre Seigneur, et les pauvres passent avant la communauté.

Impossible d'user du bien apporté par les sœurs ou donné aux pauvres pour autre chose «que la nourriture et entretien des pauvres (d'abord) et de la communauté (en second lieu) et pour les nécessités de la maison» (constructions, réparations, ameublement) et cela «pour aucune occasion ni sous quelque prétexte que ce soit.»

Le chapitre XVII : *Comment les Filles doivent exercer les œuvres de miséricorde corporelles en servant les malades,* contient un passage admirable sur le service des pauvres et ses difficultés qu'il faut courageusement surmonter en esprit de foi, car les pauvres, quels qu'ils soient humainement, même et surtout quand ils sont difficiles, sont les membres du Christ :

> «Les Filles doivent bien prendre garde de ne se laisser endurcir leur cœur par l'habitude et accoutumance d'être avec les malades, et ne laisser prendre pied au chagrin qui pourrait naître de l'impatience et mauvaise humeur de quelqu'un d'iceux, ou de la continuation et assiduité au travail et fonctions viles et incommodes environ eux. Mais il faut au contraire qu'elles s'efforcent par désirs souvent renouvelés de conserver un cœur humble, tendre et compatissant, servant les pauvres avec un visage modestement doux et joyeux, en sorte qu'on y lise le plaisir qu'elles prennent de servir Jésus-Christ en ses membres»[13].

Le cérémonial des repas des pauvres, décrit au chapitre XVIII, va dans le même sens d'une religion du pauvre faite d'attention, de respect, de bonne grâce, d'affection dans la gravité et la douceur :

> «Les malades ayant pris leur réfection...et recouchés... chaque Fille, saluant humblement son malade ou le Fils de Dieu en sa personne, s'en retournera avec les autres près de la grande table pour dire les grâces...»[14].

Par cette «religion du pauvre», M. de la Dauversière se place dans la lignée de Saint Vincent de Paul qu'il a connu, dont il s'est inspiré, qu'il a consulté, mais il est également fidèle à son appartenance franciscaine. Il s'en tient toujours à la lettre de l'Evangile selon laquelle les pauvres sont les représentants et substituts du Christ et portent avec eux une bénédiction particulière.

1. *Inventaire des Titres et Papiers du Trésor des Pauvres..*, 1 tiroir, cote B, *Archives départementales de la Sarthe*, H. 1916.

2. *Archives départementales de la Sarthe*, H. 1285.

3. Transaction proposée par Le Royer de la Dauversière en sa qualité de syndic du couvent des Récollets avec les Religieuses de Saint-François, 10 septembre 1632, *Archives départementales de la Sarthe*, H. 1295.

4. Sur les origines du sanctuaire, P. Calendini, «Les paroisses Saint-Barthélemy et Notre-Dame-du-Chef-du-Pont à La Flèche», dans *Annales fléchoises*, t. I, 1903, p. 139-152.

5. Sœur Gaudin, D - 4 : Pièces extraites des Greffes de la Sénéchaussée et Siège Présidial de La Flèche. *Archives de l'Hôtel-Dieu de La Flèche.*

6. Transaction passée le 30 août 1639, *Archives départementales de la Sarthe*, H.1295.

7. Inventaire de la Maison de ville, 22 décembre 1649, f 28-29: *Extrait aux Archives de l'Hôtel-Dieu de La Flèche.*

8. 2 Règle, chap. VI, 4-6; François d'Assise, *Ecrits*, «Sources chrétiennes», no. 285, Paris, Les Editons du cerf, 1981, p. 190-191.

9. *Mémoire du petit-fils.* p. 1.

10. *Constitutions* p. 7.

11. *Constitutions*, p. 28-29.

12. *Constitutions*, p. 39.

13. *Constitutions*, p. 70-71.

14. *Constitutions*, p. 79-80.

Manoir de La Dauversière

Chapitre V

LA SAINTE FAMILLE

L'analyse de la grâce du 2 février 1630 révèle une surprise. On se souvient de ce qui a été dit plus haut : le texte du *Mémoire* du petit-fils semble reproduire mot pour mot le fragment d'une relation autobiographique qui aurait été rédigé par M. de la Dauversière lui-même au printemps de 1633, sur la demande de son confesseur (le P. Etienne) en vue d'un meilleur discernement.

On y lit : «Le jour de la Purification de l'année 1630, Jérôme Le Royer... ayant communié et s'étant consacré à la Sainte Famille, lui, sa femme et ses enfants...»[1]

Or l'acte de consécration conservé qui, ainsi qu'on l'a dit, a dû être prononcé ensemble par les Congréganistes de la ville, pères et mères de famille, en la fête de la Congrégation des externes, ne s'adresse pas à la Sainte Famille; il commence par «Sainte Marie, Vierge et Mère de Dieu, je... consigne entièrement et sans réserve entre vos mains tout ce que je possède...» et il continue : «Je vous choisis pour être...la patronne particulière de toute ma famille...»[2]

Ce que les congréganistes avaient fait ce 2 février, peut-être à l'instar des autres fêtes de la Purification des années précédentes (car c'est une consécration que l'on peut renouveler) était une consécration d'eux-mêmes à la Sainte Vierge pour honorer plus particulièrement le mystère de son Immaculée Conception, et une demande instante de protéger leurs familles.

Un glissement s'est donc opéré dans l'esprit de Jérôme Le Royer; sa consécration à la Vierge a pris le sens d'une consécration à la Sainte Famille; cette mutation s'est faite entre le 2 février 1630 et le printemps de 1633. Il me semble qu'il faut en conclure que la grâce du 2 février 1630 a transformé sa vision intérieure; elle lui a ouvert des perspectives nouvelles; elle a imprimé une orientation et cristallisé sa pensée. Il est désormais attentif au mystère de la Sainte Famille qui avait moins d'importance pour lui auparavant; ce mystère devient un pôle de sa vie spirituelle, et il est en relation étroite avec sa dévotion à l'égard de Saint Joseph qui se développe parallèlement et que l'on étudiera dans le prochain chapitre.

Le chancelier Gerson fut, au XV siècle, un grand promoteur du culte de Saint Joseph : il composa un *Office* pour une fête de Saint Joseph qu'il aurait voulu voir instituer; son œuvre poétique contient de nombreuse compositions en l'honneur de Saint Joseph, dont un long recueil intitulé *Josephina* : mais l'*Office* qu'il a composé et sa propre réflexion théologique et spirituelle ont pour objet spécifique le mariage de Marie et de Joseph.

Dans sa lettre du 23 novembre 1413 au duc de Berry, le mécène des «Grandes Heures» et des «Riches Heures», le chancelier écrivait : «En considérant moult et souvent et en écrivant de l'excellence de dignité de Saint Joseph, fils de David, loyal et virginal époux de la Vierge pucelle, Notre-Dame Sainte Marie, et en pensant quand et comment ce mariage saint et sacré pourrait être plus souvent remembré, honoré et célébré en Sainte Eglise..., la commémoraison et remembrance du mariage saint et sacré de Notre Dame et de Saint Joseph se peut moult convenablement faire le Jeudi des IV Temps devant Noël, en chantant cet Evangile : *Exsurgens Joseph a somno...*» [3]

La future fête de Saint Joseph serait donc plutôt une fête des «Epousailles», une commémoraison, intégrée à l'année liturgique,du mariage de Saint Joseph et de la Vierge; elle préparerait Noël comme les deux commémoraisons de l'Annonciation (Mercredi des Quatre-Temps d'Avent) et de la Visitation (Vendredi suivant).

En fait, Gerson invitait à célébrer l'événement fondateur de la Sainte Famille, l'alliance sainte entre Joseph et Marie qui va constituer le foyer dans lequel Jésus, déjà conçu, va naître, grandir et se développer humainement.

La pensée de Gerson n'a pas été oubliée en France; en l'église Saint-Thomas de La Flèche, dans la chapelle qui flanque à droite le sanctuaire, on peut admirer une belle terre cuite, presque grandeur nature, représentant le mariage de la Vierge béni par le grand prêtre : les trois statues sont proches l'une de l'autre et le grand prêtre de sa main gauche place la main droite de Notre Dame dans celle de Saint Joseph, tandis qu'il bénit l'union en élevant les trois doigts de sa main droite. Un autre groupe plus complet, puisqu'il inclut de part et d'autre les parents de la Vierge, Anne et Joachim, est érigé dans l'église Notre-Dame-la-Riche de Tours; mais il provient, en fait, du couvent des Minimes de *Jésus-Maria* au Plessis-les-Tours; Joseph et Marie sont debout, à la droite et à la gauche du grand prêtre qui les invite à se rapprocher; ils se tendent déjà la main.

Les deux groupes sont contemporains de M. de la Dauversière; celui de Tours est daté, puisqu'il fut exécuté en 1650 par le sculpteur Charpentier. Dans les deux cas, Saint Joseph est représenté jeune selon la pensée de Gerson.

La France n'a pas eu le monopole des représentations du mariage de la Vierge; rare avant Gerson, le thème iconographique est très populaire aux xve et xvie siècles, mais en Italie la scène est moins intime, elle prend souvent place sur l'esplanade du Temple de Jérusalem et introduit les prétendants malheureux à la main de la Vierge; l'engouement nouveau pour cette scène culmine au xvie siècle dans le vaste tableau du Pérugin. Comme le récit est emprunté aux écrits apocryphes, le Concile de Trente eut pour effet de freiner considérablement ce type de représentation; mais on voit qu'en France, dans l'ouest, il est resté en faveur.

La dévotion à la Sainte Famille est en relation avec une transformation des mentalités qui trouve sa traduction dans l'iconographie : à partir du XV siècle, les scènes d'intérieur pour les sujets religieux deviennent fréquentes : le thème de l'accouchement apparaît, naissance de la Vierge, naissance de Saint Jean-Baptiste avec tous les détails anecdotiques dont sont friands les imagiers de la fin du moyen âge.

Cette représentation des intérieurs correspond à une tendance nouvelle, une attention plus grande portée à l'intimité de la vie privée; une sorte de parallèle profane du mouvement de la *devotio moderna* dans l'histoire de la spiritualité, qui insiste beaucoup sur la vie intérieure, le recueillement.

De même au XVI siècle se multiplient les portraits de famille; ils avaient fait leur apparition dans l'iconographie des saints avec les membres de la famille en prière devant les protecteurs et patrons, garçons d'un côté, auprès du père, filles de l'autre auprès de la mère. Puis viennent les portraits de famille proprement dits.

Une iconographie originale est donc née avec la Renaissance et s'est développée; le thème est la famille, telle qu'elle est et telle qu'elle vit (les frères Le Nain au XVII siècle en France s'attacheront aussi aux scènes de familles paysannes).

A cette famille qui apparaît sur le devant de la scène sociale,il faut une protection céleste; le sentiment nouveau de la famille donne naissance à la dévotion à la Famille de Nazareth, saisie elle aussi dans ses occupations quotidiennes, modèle et source d'inspiration; elle est une sacralisation de la famille terrestre. L'ouvrage capital qui sera ensuite vulgarisé est l'*In caput primum Matthaei* du Jésuite espagnol Pierre Moralès, un in-folio de 1.000, colonnes, publié à Lyon en 1614.

M. de la Dauversière est entré intensément dans ce courant qui l'a porté, mais auquel il a donné, dans son domaine propre, une nouvelle impulsion; les œuvres sorties de lui en portent la marque, tant à La Flèche qu'à Montréal, tant dans la famille religieuse qu'il a fondée qu'autour de la colonie. On sait quelle place aura au Canada la dévotion à la Sainte-Famille et que sa source est Montréal.

Marie de l'Incarnation écrivait à une Ursuline de Tours,le 19 août 1664 : «L'on a institué dans ce pays une Congrégation de la Sainte-Famille pour la réformation des ménages dans laquelle les hommes sont conduits par les Révérends Pères, les femmes associées par des Dames de piété, et les filles, jusqu'à ce qu'elles soient mariées, par les Ursulines. Elles se rangent les Dimanches chez nous ou une de nous a le soin de leur faire l'instruction dans laquelle on ne fait que conserver en elles les sentiments et les pratiques qu'on leur avait déjà enseignées dans le Séminaire».[4]

La *Confrérie de la Sainte-Famille* érigée à Québec en 1664 est dûe au zèle du P. Chaumonot et de Madame d'Ailleboust, venue de Montréal pour cette fin; vingt ans après la création de la confrérie, avec les encouragements de Mgr de Laval, il y avait déjà une dizaine de filiales un peu partout dans la colonie : à Sainte-Foy pour les Hurons, à La Prairie pour les Iroquois, à Montréal, à Beauport, à l'Ange-Gardien,à Château-Richer, à Saint-Ours, à

Contrecœur, à Lachine pour les Français; les progrès ont été rapides. Ils suivent de très près l'arrivée des Hospitalières de La Flèche à Montréal en 1659.

Car la communauté des filles de Saint-Joseph qui sera réunie en 1636 par les soins de M. de la Dauversière pour prendre soin des malades de l'Hôtel-Dieu de La Flèche, ainsi qu'on le verra un peu plus loin, s'est développée dans le cadre de la Congrégation de la *Sainte-Famille* dont lui-même avait obtenu l'approbation et l'érection par Mgr de Rueil, évêque d'Angers, le 17 février de cette année[5].

Le décret d'érection se réfère explicitement à une supplique dont le texte n'a pas été retrouvé; l'originalité de la pensée et l'importance de la doctrine qui ressort de ces statuts (préparés par Jérôme Le Royer, avec l'aide et le contrôle de ses conseillers spirituels) prennent un plein relief quand on les compare à d'autres *Statuts de confrérie* de la même région et de la même époque.

On a conservé par exemple les documents relatifs à l'érection de la *Confrérie de Jésus-Marie-Joseph* dans l'église des Minimes de Sillé-le-Guillaume, au diocèse du Mans, mais dans l'Election de La Flèche; les Minimes traditionnellement attachés aux noms de *Jésus-Maria*, y avaient ajouté celui de Joseph, et demandèrent en 1646 l'érection d'une Confrérie sur le modèle de celles déjà érigées sous le même titre dans leurs couvents de Nantes et du Mans. On possède la supplique à l'évêque du Mans et la *Bulle pontificale* imprimée en date du 15 octobre 1646 (publiée au Mans le 15 février 1647), ainsi que les *Statuts* approuvés par l'évêque du Mans le jour même de la promulgation; ceux-ci sont loin d'avoir la richesse spirituelle des *Statuts* de La Flèche de 1636[6]. Par ailleurs, une confrérie des trois noms de Jésus-Marie-Joseph n'est pas une confrérie de la Sainte-Famille comme telle.

M. de la Dauversière fit donc approuver sa propre confrérie par l'évêque d'Angers, mais obtint également une *Bulle pontificale*, selon l'usage; nous en possédons le témoignage par une lettre de M. Troussard, alors jeune prêtre au Collège de La Flèche, qui a raconté ses souvenirs :

«en suite de quoi, dit-il, le bâtiment (de l'Hôtel-Dieu) se fit, les Filles de l'Hôtel-Dieu furent établies en congrégation, M.

de la Dauversière obtint des lettres de Rome d'une confrérie sous le nom de la Sainte Famille, Jésus, Marie, Joseph...»[7].

Pour M. de la Dauversière, l'érection de la *Confrérie de la Sainte Famille* dans la chapelle de l'Hôtel-Dieu dont on «tirait les plans» et pour laquelle on rassemblait des matériaux (ainsi que le dit la lettre de M. Troussard), est la pierre de fondation de la future communauté des Filles de Saint-Joseph qu'il réunit autour de Marie de la Ferre.

Cela apparaît clairement dans les *Constitutions* de 1643; on y lit au chapitre III que «la maison et communauté de Saint-Joseph demeurera pour toujours, sous l'autorité, juridiction, gouvernement et visite de Mgr...l'évêque, ainsi qu'il est porté par les lettres d'érection de la confrérie de la Sainte-Famille de Notre Seigneur, sous le nom de Saint-Joseph en la chapelle dudit Hôtel-Dieu, de laquelle confrérie ladite communauté fait un membre»[8].

La pensée qui s'exprime dans les *Statuts* est celle qu'il tentera d'infuser à sa nouvelle communauté d'Hospitalières; il est remarquable de constater à quel point le préambule et les considérants du décret d'érection de la confrérie sont proches par l'inspiration du premier chapitre des *Constitutions*.

L'on parlera plus loin de l'idée centrale de «communion» qui est très importante et donne la clé de la pensée de M. de la Dauversière sur la nature de la vie en communauté; ici il suffira de dégager les objectifs majeurs de la confrérie; ce sont:

-la volonté de s'attacher plus parfaitement à Dieu;

-celle de devenir un même corps en Jésus-Christ;

-l'intention d'honorer la Sainte Famille dont Saint Joseph est le chef selon l'humilité;

-le désir de parvenir par le moyen du culte de la Sainte Famille de Nazareth à une parfaite adoration et glorification de l'Auguste Trinité;

-la résolution de persévérer dans une parfaite concorde et l'exercice d'une parfaite piété;

-et d'éviter toute dissension au sein du groupe.

Voici d'ailleurs les termes exacts : «Afin de s'enflammer de plus en plus à honorer Dieu par des prières et des exercices de piété faits en commun, nous sommes priés, s'il nous semble bon, d'ériger une confrérie sous le nom du glorieux Saint Joseph, pour honorer à perpétuité la Sainte Famille de Jésus-Christ dont ce grand saint a été le chef selon l'humilité, afin que par son secours et son entremise, ayant accès auprès de la Sainte Vierge, et par le moyen de l'un et de l'autre auprès de Notre-Seigneur Jésus-Christ, en sorte qu'ils puissent honorer ensemble Jésus, Marie, Joseph, non pas d'un culte égal, mais différent et selon la dignité d'un chacun, et enfin par ces moyens parvenir à une parfaite adoration et glorification de l'Auguste Trinité»[9].

Le culte de la Sainte Famille doit conduire à l'adoration du mystère de la Trinité; l'on est très proche ici de la belle prière formulée plus tard par M. Olier et consigné dans sa *Journée chrétienne* publiée en 1654 :

«J'adore Notre Seigneur Jésus-Christ conversant en terre avec sa Sainte Mère et Saint Joseph, en l'honneur de la conversation des trois personnes adorables de la Sainte Trinité»[10].

Le rapprochement de la trinité terrestre que forme la Sainte Famille de Nazareth avec la Trinité éternelle des Trois Personnes divines rencontrera un écho très profond auprès des dévots de la Sainte-Famille au XVII siècle. M. de la Dauversière n'est pas un initiateur, car le thème se trouve déjà dans les *Vrais entretiens* de Saint François de Sales[11]; mais il en a recueilli la pensée et il l'a répercutée autour de lui.

L'iconographie a trouvé dans le rapprochement entre les deux trinités une source d'inspiration : elles sont superposées en de nombreux retables français; on trouve la même disposition chez certains artistes espagnols ou ceux des Pays-Bas, les deux pays relevant du même souverain.

«Dans une gravure sur bois de Christoffel Van Sichem, décrit Louis Réau, l'Enfant Jésus est le point d'intersection des deux Trinités. La Vierge et Saint Joseph le tiennent par la main. Au-dessus de sa tête planent la Colombe aux ailes éployés et Dieu le Père étendant les bras pour faire un double geste de bénédictions».[12]

On croirait lire la description du tableau conservé à l'Hôtel-Dieu de Montréal, acheté en France en 1708, et où Frances Margaret Allen eut la surprise de retrouver sous les traits de Saint Joseph le vieillard mystérieux qui lui était apparu autrefois et lui avait sauvé la vie. Les artistes ont repris l'iconographie traditionnelle du Baptême du Christ, mais au lieu de le représenter adulte avec Jean dans le Jourdain, ils l'ont présenté enfant entre Marie et Joseph: «Au moment où il remontait de l'eau, il vit les cieux se déchirer et l'Esprit comme une colombe descendre sur lui; et des cieux vint une voix: Tu es mon Fils bien-aimé, tu as toute ma faveur» (Mc I,10).

On peut comparer la dévotion à la Sainte Famille telle qu'elle apparaît à La Flèche dans le rayonnement de M. de la Dauversière entre 1630 et 1636, et celle de la Carmélite de Beaune, Marguerite du Saint-Sacrement. Celle de M. de la Dauversière va de Saint Joseph à la Sainte Famille, comme il est naturel de la part d'un laïc, père de famille; la bienheureuse Marguerite du Saint-Sacrement part de l'Enfant-Jésus, comme il est naturel à une femme pour laquelle la maternité et l'enfance sont des réalités qui touchent en elle ce qu'elle a de plus intime. Lorsque le R. Auvray voulut, après le P. Amelotte, publier une biographie de la Carmélite de Beaune, il choisit pour titre : «L'Enfance de Jésus et sa famille honorées en la vie de Marguerite du Saint-Sacrement, religieuse Carmélite du monastère de Beaune» (1654). En frontispice, dans l'ouvrage,l'on trouve une image avec titre gravé: L'Enfant Jésus sur un piédestal est accompagné de Marie et de Joseph[13]. C'est la spiritualité de Marguerite du Saint-Sacrement et de son «Petit Roi de grâce» qu'adoptera Renty, en dépit de son intimité avec M. de la Dauversière; on la retrouve aussi en Nouvelle France.

Chez M. de la Dauversière et ses filles, on accède à l'Enfance du Christ par Saint Joseph et Notre Dame; Saint Joseph est l'introducteur et le médiateur; selon le règlement de la confrérie de 1636, la fête de Saint Joseph est la célébration patronale; la communion des confrères est fixée au troisième dimanche de chaque mois pour rappeler sa fête dans la troisième semaine de mars (19 mars); la messe basse hebdomadaire de la confrérie est le mercredi, jour dédié à Saint Joseph.

Les Filles de Saint-Joseph adoptent des formes particulières de dévotion en relation avec le chef de la Sainte Famille; la réception de la communion (en plus des jours déjà assignés) est prévue pour:

- le 28 décembre, fête des Saints Innocents et donc de la Fuite en Egypte, Saint Joseph ayant «pris avec lui l'Enfant et sa Mère»;

- le 17 janvier, anniversaire du retour d'Egypte;

- le 22 janvier, jour des Epousailles de Marie et de Joseph;

- ainsi que le 19 mars, fête de Saint Joseph;

- l'abstinence du samedi pratiquée, traditionnellement en l'honneur de Notre-Dame, devient une dévotion en l'honneur de la Sainte Famille[14].

Au début de la prière quotidienne on invoque la Trinité en présence des malades par une *Antienne* tirée de son *Office*, et l'on dit trois fois «Sancta Trinitas,unus Deus» en l'honneur de chacune des Personnes divines; et, comme pour marquer le lien qui unit la dévotion des deux «trinités», celle du ciel et celle de la terre, on dit trois fois de même «Jesu, Maria, Joseph, Succurite nobis»[15].

Les vœux sont renouvelés le jour de la Purification, anniversaire de la grâce du 2 février 1630 : Joseph et Marie sont montés au Temple en ce jour pour offrir Jésus à son Père.

Lors des vœux perpétuels prononcés au bout de huit ans d'engagements annuels, les sœurs reçoivent l'anneau gravé aux noms de Jésus, Marie, Joseph, avec la formule : «Recevez cet anneau au nom de Jésus, Marie, Joseph, en mémoire de l'amour et fidélité que vous leur avez promis, et vous rendez digne fille de leur paisible et Sainte Famille et imitatrice de leurs vertus, pour être un jour participante de leur gloire.»[16]

La promesse est faite à Dieu, mais l'on promet aussi amour et fidélité aux trois personnes de la Sainte Famille, pour, par elles, parvenir à la gloire de la Sainte-Trinité.

1. *Mémoire du petit-fils*, p.1; cf. Chapitre III, n.5.

2. Cf.*Supra*, Chapitre III,n. 7.

3. Jean Gerson, *Œuvre complètes*, Introduction, texte et notes par Mgr Glorieux, Volume II, L'*Œuvre épistolaire*, Paris, Desclée et Cie, 1960, p.155-156.

4. Marie de l'Incarnation, *Correspondance*, éd. G.-M Oury, Solesmes, 1971, lettre CCXIII, p. 735

5. Le texte latin original est un in-folio sur parchemin, signé et scellé aux armes de Mgr de Rueil, conservé aux *Archives des Hospitalières de La Flèche*, A-1-M bis; il en existe une copie du XVII siècle aux *Archives départementales de la Sarthe*, H. 1863; la traduction française est une copie du XVIII siècle dans le même dossier; elle a été reproduite dans le *Recueil* de la sœur Hardouyneau de Voaugermain, signalé au Chapaitre III, n. 5.

6. Le dossier se trouve aux *Archives départementales de la Sarthe*, H.1348; je remercie sœur Denise Péron de La Flèche de m'en avoir procuré une photocopie. Il existait également une confrérie - plus tardive - de l'*Enfant Jésus*, établie dans l'église du prieuré des Bénédictines de Notre-Dame de Château-du-Loir (fondé par Montmartre); le bref d'Alexandre VII accordant les privilièges est du 20 avril 1665; cf. *Archives départementales de la Sarthe*, H. 1484.

7. Cette lettre que nous citerons souvent comme l'une des sources, se trouve au fonds des *Archives des Hospitalières de Beaufort-en-Vallée*, F - A - 6.

8. *Constitutions*, p. 11-12.

9. Cf. *supra*, n. 5.

10. *Catéchisme chrétien et journée chrétienne*, éd. Fr. Amiot, Paris, Le Rameau, p. 206.

11. *Les Vrais Entretiens spirituels*, dans *Œuvres complètes*, éd. Annecy, J. Niérat, 1895, t. VI, p. 360-361.

12. L.Réau, *Iconographie de l'art chrétien*, t. II, 2 partie, Paris, P.U.F., 1957, p. 149, n.2 ; les trois paragraphes ci-dessus doivent beaucoup à P. Hurtubise, «Aspects doctrinaux de la dévotion à la SainteFamille en Nouvelle-France,» dans *Eglise et Théologie*, vol. 3, 1972, p. 45-68.

13. Reproduite dans J. Simard, *Une Iconographie du clergé français au XVII siècle. Les dévotions de l'Ecole française et les sources de l'Imagerie religieuse en France et au Québec*, Québec, Presses de l'Université Laval, 1976, p. 64.

14. *Constitutions*, p. 59-61.

15. *Constitutions*, p. 67-69.

16. *Constitutions*, p. 105.

Le Château-Vieux
Couvent des Carmes

Chapitre VI

SAINT JOSEPH

Peu après l'érection de la Confrérie de La Flèche à L'instigation de M. de la Dauversière en 1636, un Carme de la Réforme de Touraine, le Père Daniel de Saint-Joseph fit paraître à Angers chez Pierre Avril un *Manuel de la confrérie de la Sainte Famille de Jésus sous l'invocation de Saint Joseph, Saint Joachim et Sainte Anne*, érigée dans l'église des Carmes d'Angers; la Sainte Famille était élargie pour inclure les grands parents de Jésus chers aux gens de l'Ouest. Madame de Beaufort-Ferrand, dirigée par son parent, le P. Antoine de la Porte de Saint-Martin, Carme, qui écrivit sa biographie en 1650, avait de même une grande dévotion à Saint Joseph et à la Sainte Famille : «Au temps de Noël, par adoration de l'Enfance de Jésus, de la Maternité de la Sainte Vierge, et des soins que Saint Joseph avait eu de la nourriture de ces deux adorables Personnes, elle prenait quelques pauvres hommes et quelques pauvres femmes avec un sien petit enfant, tantôt pour les vêtir tantôt pour les nourrir tout ce temps-là.[7]»

La dévotion à Saint Joseph ne sera jamais pour le fondateur des Hospitalières une entité en soi, une dévotion isolée; elle s'intègre dans le culte de la Sainte Famille qui ramène les âmes aux premières heures de l'Eglise, celles de Nazareth avant le ministère public de Jésus.

Elle s'inscrit aussi dans le mouvement de retour aux sources qui avait été l'une des premières préoccupations du XVI siècle, dès avant la Réforme protestante et parallèlement à celle-ci, chez les catholiques «évangéliques» autour de Guillaume Briçonnet et de Lefebvre d'Etaples. Après la rupture luthérienne et calviniste,les mouvements de la Contre-Réforme ont renoué avec l'intuition première.

A La Flèche, autour de Jérôme Le Royer, le courant de dévotion à Saint Joseph, le chef temporel de la Saine Famille, se cristallise autour du projet de reconstruction de l'Hôtel-Dieu et de sa chapelle.

L'idée a peut-être été suggérée par l'exemple de La Rochelle : dans la ville reconquise le 29 octobre 1628, un ancien temple réformé converti en église fut consacré à Saint-Joseph en 1632.

L'on possède une requête des administrateurs de l'Hôtel-Dieu de La Flèche à Mgr de Rueil, évêque d'Angers, pour obtenir la permission d'inclure dans la reconstruction de l'Hôtel-Dieu une nouvelle chapelle dédiée à Saint Joseph et donc de démolir l'ancienne :

> «Vu la requête ci-dessus avec la conclusion de l'Hôtel de ville de La Flèche du 28 juin dernier, a inscrit l'évêque, au bas de la supplique, avons aux suppliants permis et permettons de faire démolir ladite église, y en construire une autre sous le nom de Saint-Joseph, à condition toutefois d'ériger un autel en l'honneur de Sainte-Marguerite et y faire les dévotions accoutumées et requises de l'obligation des fondations si aucune y a. Donné à Angers par nous, évêque susdit, le 8 jour de juillet 1634.[8]»

Les travaux progressèrent lentement, puisqu'au printemps de 1636, selon M. Troussard, on en était seulement à en «prendre le plan» et à attendre les matériaux, et que l'autorisation d'y conserver le Saint-Sacrement, signe indubitable de l'achèvement des travaux, date du 28 mai 1640.

En dehors des églises conventuelles des Récollets et des Carmes, la nouvelle chapelle est le premier lieu de culté placé sous le patronage de Saint Joseph dans toute la région : dans le *Pouillé-Obituaire* retranscrit par Marin Coisnon, sergent de la cathédrale du Mans en 1669, on chercherait vainement dans tout le grand diocèse du Mans (Le Mans et Laval) une chapellenie qui ait été dédiée à Saint Joseph auparavant[9]; il en sera fondée une vers 1650-1660 à Saint-Mars-de-Cré, tout près de Bazouges : la chapelle Saint-Joseph de la Pasqueraie[10]. Puis apparaissent dans les églises les tableaux et les statues popularisant le culte de Saint-Joseph et de la Sainte Famille. Le premier en date semble être celui de l'église de Pirmil, à l'autel du croisillon sud du transept, représentant la Sainte Famille, il a été commandé en 1639 par un prêtre de la paroisse.

Les statuts de la confrérie de 1636 placent cette confrérie «sous le nom du glorieux Saint Joseph pour honorer à perpétuité la Sainte Famille de Jésus-Christ dont ce grand saint a été le chef selon l'humilité...» Le culte du chef de la Sainte Famille a donc pour but d'honorer la Famille sacrée de Nazareth qui a vécu sous son toît; par sa médiation, les confrères se proposent d'accéder à Notre Dame et par la médiation de Saint Joseph et de Notre Dame au Christ; le texte du décret est tout-à-fait révélateur : «afin que, par son secours et son entremise, ayant accès auprès de la Sainte Vierge, et par le moyen de l'un et de l'autre auprès de Notre Seigneur Jésus-Christ, en sorte qu'ils puissent honorer ensemble Jésus, Marie, Joseph, non pas d'un culte égal, mais différent et selon la dignité d'un chacun...»[11]

L'honneur est différencié par les termes de la dévotion : Jésus, Marie, Joseph se trouvant chacun dans une situation particulière; ainsi la Trinité de la terre est-elle image de celle du ciel, mais image imparfaite, non pas composée de personnes égales en dignité, auxquelles on rendrait un culte unique pour rendre hommage à leur unité de nature; elle est faite de deux personnes humaines : Marie et Joseph, et d'une personne humano-divine : Jésus; Joseph est en charge de deux autres comme chef et répondant.

La communauté que va rassembler Jérôme Le Royer pour le service de l'Hôtel-Dieu et dont on étudiera la fondation au chapitre suivant, portera le nom de Filles de Saint-Joseph. Le titre est nouveau, lui aussi. A Bordeaux à la même époque Marie Delpech de l'Estang a commencé à réunir des Filles séculières hospitalières de la *Société de Saint-Joseph pour le gouvernement des filles orphelines*; les premiers linéaments de la fondation bordelaise remontent à l'année 1628, mais l'érection diocésaine date de 1638 et les lettres patentes seront octroyées en 1639[12]. Rien n'indique que M. de la Dauversière ait eu connaissance de ces Filles de Bordeaux, qui ont fait ensuite des fondations à Paris, Rouen, Toulouse, Agen, Limoges, La Rochelle, avec des statuts qui différaient selon les maisons; la fondatrice devait mourir à Paris, le 21 décembre 1671.

Ensuite il faut attendre 1651, date à laquelle le Jésuite, Jean-Pierre Médaille (mort en 1669) fonda au Puy, avec les encouragements de l'évêque, ce qui deviendra l'Institut des sœurs de Saint-Joseph du Puy, approuvé par lettres royales en 1674 [13]; cette fondation a servi de berceau à de nombreuses Congrégations de même type, vouées aux œuvres de miséricorde, à l'instruction des jeunes filles, à l'éducation des orphelins, à la visite des malades, à la tenue d'hôpitaux, au soin des pauvres familles : Lyon (1651), Satillieu (1661), Vienne (1666); Bourg (1673), Marcillac (1682), Saint-Vallier (1683).

On peut aussi mentionner le cas de Jacques Cretenet, de Lyon (1603-1666), laïc, mystique, homme d'oraison, qui fonda, lui laïc, une congrégation de Missionnaires, les *Prêtres de Saint-Joseph* (1648); il reçut lui-même plus tard l'ordination sacerdotale. Henri Bremond lui a consacré quelques pages au tome VI de son *Histoire du sentiment religieux*[14].

Le décret épiscopal d'approbation des Filles de Saint-Joseph de La Flèche qui sera accordé en 1643 quelques jours avant l'octroi des Constitutions, semble porter la marque d'un brouillon proposé par M. de la Dauversière, ainsi qu'il arrive fréquemment dans les documents de ce type; on y lit que l'Hôtel-Dieu rénové a été placé «sous la protection de Saint Joseph, confesseur, parce qu'il a été choisi par une dispense et un ordre admirable pour être le guide et le gouverneur de Jésus-Christ pauvre, roi des pauvres et fondateur de la pauvreté évangélique, lequel appelant à lui les infirmes et les languissants a dit : Venez à moi, vous tous qui travaillez et êtes chargés, je vous soulagerai...»[15]

Le pauvre est l'image du Sauveur pauvre et souffrant; Saint Joseph l'a reçu en charge, pauvre lui-même; d'où la convenance qu'il y a à lui confier les pauvres de l'Hôtel-Dieu.

Il est donc certain que, chez M. de la Dauversière et ses Filles, le culte qui est voué à la personne de Saint Joseph fait corps avec la dévotion à la Sainte Famille; il n'a pas d'existence particulière; ses propres responsabilités de père de famille l'ont rendu sensible à l'unité de la Sainte Famille; il a conçu son rôle sur le modèle de Saint Joseph, chef de la famille de Nazareth, mais surtout serviteur et intendant, pourvoyeur, chef «selon l'humilité»; car le père adoptif de Jésus a eu pour vocation particulière d'assurer les conditions matérielles de la vie du groupe, témoin émerveillé du mystère divin.

1. Cf. *supra*, Chapitre V, n. 5.

2. Cf. *supra*, Chapitre V, n. 7.

3. Voir le texte de la *Vie* conservée aux Archives départementales d'Ile-et-Vilaine, 9 H.37, p. 33.

4. P. Champion, *La vie et la doctrine spirituelle du Père Louis Lallemant*, éd. Fr. Courel, Burges, Desclée de Bouwer, 1959, p.54.

5. Cf. *Supra*, Chapitre III, n. 15.

6. *Constitutions*, p. 68.

7. Antoine de la Porte de Saint-Martin, *L'idée de la véritable dévotion en la vie de Madame de Beaufort-Ferrand*, Paris, chez Cottereau, 1650, p. 301.

8. L'original se trouve aux *Archives des Hospitalières de La Flèche*, A - 1 - L bis.

9. Cf. G.-M. Oury, «Le Pouillé-Obituaire de Marin Coisnon, sergent de la cathédrale», dans *La Province du Maine*, t. 71, 1969, p. 9-34.

10. L. Calendini, «Saint-Mars-de-Cré, Essai de monographie paroissiale», dans *Annales fléchoises*, t. X, 1909, p. 423-424.

11. Cf. *supra*, Chapitre V, no. 5.

12. Hélyot, *Histoire des Ordres monastiques, religieux et militaires et des Congrégations séculières de l'un et l'autre sexe*, Paris, J.-B. Coignard, t. IV, 1721, p. 411 s.

13. M. Nepper, *Jean-Pierre Médaille, qui est-ce?*, Le Puy, 1963; Id., *Aux origines des Filles de Saint-Joseph*, Caluire, 1969.

14. H. Bremond, *Histoire littéraire du sentiment religieux en France depuis la fin des guerres de religion jusqu'à nos jours*, t. VI, *La conquête mystique*, Paris, Bould et Gay, 1926, t. VI, p. 411-416; P. Broutin, *La réforme pastorale en France au XVII siècle*, Paris, 1956, t. II, p. 167-180.

15. Décret d'approbation du 19 octobre 1643 : *Registre ou Archives pour servir à écrire les jours de la réception des filles de Saint-Joseph, de leurs vœux et de leurs décès*, Copie de la main de M. Syette, janvier 1644, *Archives des Hospitalières de Saint-Joseph*; il existe une copie de ce décret aux *Archives départementales de la Sarthe*, H. 1803 (XVII siècle).

L'Hôtel-Dieu

Chapitre VII

LES FILLES DE SAINT-JOSEPH

M. de la Dauversière n'avait aucune raison particulière de s'intéresser plus qu'un autre à l'Hôtel-Dieu; mais les congréganistes avaient appris à découvrir quelles étaient les urgences apostoliques du milieu dans lequel ils vivaient.

Toujours est-il que le 2 février 1630, il entendit un appel intérieur très précis dans sa prière, étant «comme en extase»; on a dit plus haut que le compte rendu de cette expérience spirituelle semble provenir d'une première relation autobiographique rédigée au printemps de 1633 pour son confesseur et les conseillers de celui-ci.

«Il (me) sembla que Dieu (me) commandait de travailler à l'établissement de la Congrégation des Filles Hospitalières de Saint-Joseph et (me) dictait comme mot à mot le premier chapitre de leurs constitutions.[1]»

A ce moment, il n'avait pas de responsabilité directe, ni même semble-t-il, indirecte dans les affaires de l'Hôtel-Dieu; cela l'empêcha d'intervenir tout de suite; les circonstances changèrent lorsque le Corps de ville désigna pour administrateurs son frère René et son cousin Florimond; avec eux et sous leur responsabilité, il put se préparer à accomplir la mission dont il pensait en conscience être investi.

La voie avait été préparée. M. Souchard, le précédent administrateur (et unique) avait obtenu en 1627 et 1628 que l'aumônier en titre qui considérait sa charge comme un pur bénéfice, lui cédât pour les pauvres de l'Hôtel-Dieu «les maisons, logis et jardin et appartenances de l'aumônerie» contre une rente de 40 livres (14 juin 1628); le 8 novembre de la même année, l'évêque d'Angers, sur sa demande, consentit au transfert des anciennes rentes des Cordeliers (fondations de Messes) et de leurs arréages (les annuités en retard) à la trésorerie de l'Hôtel-Dieu «pour être employés au bâtiment qui est nécessaire de faire audit Hôpital»[2].

La décision ferme de construire «un nouveau bâtiment de plus grande étendue et plus sain pour les pauvres» se fit cependant attendre encore six années; l'Hôtel de ville s'y résolut le 28 juin 1634 et l'évêque permit la démolition de l'ancienne chapelle Sainte-Marguerite, le 8 juillet, à la condition qu'elle serait remplacée par une nouvelle dédiée à Saint-Joseph où l'on trouverait aussi un autel sous le titre de Sainte-Marguerite.

> «(Il fut) arrêté...qu'il serait construit un nouvel Hôtel-Dieu conformément au projet à eux représenté par Jehan Le Coiffé, maître maçon, pour exécuter lequel il leur est besoin, pour faire la chapelle dudit Hôtel-Dieu et dortoir, de s'enligner du coin de l'ancienne chapelle au coin du grenier à sel... pour être ladite chapelle et dortoirs posés en ligne droite sur la rue, et ce, faisant prendre dans l'épaisseur des piliers six pouces sur la rue au bout tirant à l'église Saint-Thomas...»[3]

Il faudrait des plans antérieurs au nouvel aménagement pour en comprendre le détail : mais il avait fallu racheter le Grenier à sel et donc prévoir un emplacement pour le nouveau.

Le premier acte de l'opération est, ainsi qu'il arrive presque toujours, antérieur aux décisions officielles; il est du 16 mars 1634 : l'acquisition d'une maison, boulangerie, cour, grand jardin, tannerie, dépendance et du quart du Grenier à sel, le tout pour 1.900 livres dont 1.000 sont prêtées par le baron de Fancamp[4].

Des emprunts furent contractés par Jérôme Le Royer et sa femme en septembre et novembre 1635 (2.000 et 1.500 livres), probablement pour financer les travaux; ce qui est simple supposition devient certitude avec les deux emprunts de 7.200 livres chacun, faits le 9 février et le 9 août 1636 au baron de Fancamp[5].

Il a déjà été question de celui-ci dans les pages précédentes et il va être désormais étroitement lié à toutes les entreprises de M. de la Dauversière; aussi est-il nécessaire de le présenter brièvement. En 1634, date à laquelle il prête pour la première fois de l'argent pour l'Hôtel-Dieu, il a 26 ans.

Pierre Chevrier, qui prend habituellement le nom de seigneur de Fancamp (exactement Fouencamp), une seigneurie héritée de son père et qualifiée souvent à tort de baronnie, avait été baptisé le 21 janvier 1608 à Paris en la paroisse de St-Jean-en-Grêve[6]; son père, Adam, était trésorier de France en Picardie et résidait habituellement à Amiens; sa mère, Renée de Bauquemare était fille du président du Parlement de Rouen. Les Chevrier avaient la plupart de leurs biens de famille autour de Poissy ; Adam avait acquis le Château d'Acqueville entre Poissy et Villennes sur la rive gauche de la Seine (tout près de Verneuil, la demeure de M. Olier) en 1599[7].

Pierre était le troisième enfant; son père était mort peu après avril 1624 (date de son testament) et probablement au début de l'été (inventaire après décès commencé le 6 juillet 1624); sa mère devait se remarier après quinze ans de veuvage, vers 1640, à Gabriel Testu, grand-maître des Eaux et Forêts de Normandie. On le destina d'abord à l'état ecclésiastique et il fut pourvu dès avant 1624 de la petite abbaye de La Sye-en-Brignon en Anjou [7 bis], mais il y renonça à la mort de son père au bénéfice de son jeune frère Jérôme.

Comment Pierre Chevrier a-t-il fait la connaissance de M. de la Dauversière et pourquoi résidait-il chez lui en 1634-1636? Il est probable que le jeune baron de Fancamp vint terminer ses études au Collège de La Flèche et prit logis, à l'instar de beaucoup d'autres élèves, chez l'habitant. Il adopta la famille Le Royer et la famille Le Royer l'adopta; bien que Jérôme n'eut que onze ans de plus que lui, il finit par le considérer comme son père, ayant perdu le sien à l'âge de seize ans.

La lettre de M. Troussard dit davantage : «Le baron de Fancamp...prit cette dévotion à cœur (celle de Saint Joseph), quitta son train, fit de quoi bâtir une chapelle à l'Hôtel-Dieu en l'honneur dudit saint...»[8] Il y eu donc pour Pierre Chevrier, au contact de M. de la Dauversière quelque chose comme une conversion; il adopta un style de vie pauvre et simple et devint un grand dévot de Saint Joseph. A partir ce de moment, on le retourve presque constamment aux côtés de M. de la Dauversière.

Après 1653, il devint prêtre (à 35 ans), mais refusa toujours d'accepter un bénéfice ecclésiastique; il réside alors souvent au prieuré de Notre-Dame de Sausseuses près de Vernon, dont son frère Jérôme est prieur commendataire; en 1660, il rachète une maison à Suresnes à Noël de La Lane, abbé de Valcroissan, un janséniste notoire, puis en 1682 une propriété assez vaste dans le même village. Il était attiré par le Mont-Valérien tout proche. Il s'agrégea l'année suivante à la communauté des prêtres-missionnaires qui desservait le pélerinage (23 avril 1683), puis il entra pour de bon dans la communauté (13 septembre 1684) : il en fut supérieur du 10 novembre 1685 au 18 novembre 1688. Mais il se sentait vieillir et sans doute pour ne pas être à charge à la petite communauté, se retira en juillet 1690 à Paris dans une maison du Cloître Saint-Honoré, mais sans cesser de faire partie de la communauté. Il mourut dans son nouveau domicile entre le 18 et le 22 juin 1692 et fut enterré dans la crypte de l'église Saint-Honoré, laissant des legs importants aux prêtres du Mont-Valérien[9].

Mais il faut revenir à l'année 1636. Si importante qu'elle ait pu être, la reconstruction de l'ancienne aumônerie et de la salle des malades pour les transformer en un établissement qui réponde aux besoins nouveaux d'une bourgade devenue ville, ne constituait qu'une étape dans le projet d'ensemble de M. de la Dauversière : il songeait à une communauté (congrégation) de filles, sous le patronage de Saint-Joseph, qui desservirait l'Hôtel-Dieu rénové.

Les premiers éléments d'une communauté existaient; selon sœur Marie Morin qui a rapporté les souvenirs des premières religieuses arrivées à Montréal en 1659, il y avait «trois bonnes filles, servantes de condition, mais d'une vertu excellente et sublime, qui servaient les malades jour et nuit avec ferveur admirable, sans aucun salaire que ceux qu'elles attendaient du Ciel ; voici leurs noms Catherine Lebouc, Julienne Allory et Jeanne Cahergne qui ont persévéré jusqu'à la mort dans ce saint emploi...[10]»

C'est alors que se présentèrent à M. de la Dauversière deux filles de condition, comme on disait : Marie de la Ferre et Anne Foureau. La première était une parente de M. de la Dauversière et avait longtemps résidé sur la paroisse de Sainte-Colombe, au manoir du Grand-Ruigné, s'occupant des malades de la paroisse, les soignant à domicile, et vivant comme une religieuse dans le monde; en 1636, elle avait déjà 46 ans. Anne Foureau était un peu plus jeune.

Voici comment M. Grandet fait le récit de la fondation dans sa *Vie de Mademoiselle de Meleun*, fondatrice de Baugé, rédigée en 1686:

> «Il y avait en ce temps-là à La Flèche une fille de condition, nommée Mademoiselle de la Ferre, fille d'une grande piété, qui avait un attrait singulier pour l'oraison et à qui Dieu faisait beaucoup de grâces. Ses directeurs, la voyant séparée du monde et appliquée à Dieu, lui avaient souvent conseillé d'entrer dans un cloître; mais elle était tombée malade jusqu'à quatre fois lorsqu'elle avait voulu exécuter ce dessein : ce qui lui fit connaître que Dieu l'appelait ailleurs. Comme elle était sans occupation dans sa famille, on lui proposa de prendre le soin des pauvres de l'Hôpital, à quoi elle consentit[11].»

Le récit de M. Grandet est le premier en date des sources narratives sur la fondation de la communauté des Filles de Saint-Joseph; ce n'est pas ici le lieu de faire l'histoire détaillée de la vocation de Marie de la Ferre et de discuter la valeur des diverses versions données par sœur Marie Morin puis par Mère Péret, l'auteur des *Annales de Moulins*. Ce que l'on sait fort bien, c'est que Marie de la Ferre d'une part, M. de la Dauversière de l'autre, ont bénéficié en maintes autres occasions de grâces mystiques relatives à leur mission; les témoignagers contemporains ne laissent aucun doute à ce sujet.

Selon une tradition très ferme, le commencement de la vie en communauté se fit un dimanche de la Trinité. Mère Péret dans les *Annales de Moulins* donne la date de 1636, en accord avec les souvenirs très exactement datés de M. Troussard (en revanche, lui ne parle pas du dimanche de la la Trinité); sœur Marie Morin qui s'appuie sur les souvenirs des premières Hospitalières de Montréal se trompe certainement quand elle dit que les futures Filles de Saint-Joseph allèrent «s'enfermer dans une chambre dudit Hôpital, le jour et la fête de la très Sainte Trinité de l'année 1632 ou 1633»[12]. L'année 1636 est donc à retenir.

D'autres événements sont attachés à la fête de la Trinité dans la vie de la communauté : l'admission officielle acceptée par les autorités municipales, de Marie de la Ferre et d'Anne Foureau, le 2 juin 1640, veille de la Trinité[13]. Et l'on comprend pourquoi l'oraison que l'on faisait dire aux malades à la fin des prières du matin s'adresse à la Trinité :

> «Adorable Trinité, Père, Fils et Saint-Esprit, puisqu'il a plu à votre Sagesse de nous mettre en cette condition de pauvreté et d'infirmité, nous adorons vos conseils, agréons vos volontés et bénissons votre bonté infinie...»[14]

La Trinité céleste est vénérée en relation avec l'image terrestre qu'est la Sainte Famille de Jésus, Marie, Joseph; le lien est très fort et le choix des dates est révélateur d'une intention.

Doit-on mettre également en relation avec la dévotion à la Sainte Famille implantée à La Flèche par M. de la Dauversière la construction de la chapelle Sainte-Anne en 1636, pour agrandir l'église Saint-Thomas, petite si on la compare à la population totale de la ville dont elle est l'unique église paroissiale?

L'installation des premières compagnes était tout-à-fait provisoire; l'Hôtel-Dieu était en rénovation pour de longs mois encore; elles ont dû se loger dans une dépendance, déménageant à mesure que les ouvriers s'attaquaient à une autre tranche du chantier. La capacité d'accueil de l'Hôtel-Dieu pour les malades, déjà peu considérable, dût aussi être réduite durant le temps des travaux.

Selon sœur Marie Morin : «Il fallait tous les jours faire la quête pour avoir les nécessités des malades; ces bonnes servantes la faisaient d'un grand courage, ne se rebutant point pour les reproches qu'on leur faisait et des injures qu'on leur disait; ce qui arrivait souvent de la part des libertins et cœurs durs et sans pitié qui ne voulaient pas donner l'aumône; les gens de bien, au contraire, leur applaudissaient et les considéraient comme des saintes. Ceci dura encore plusieurs années après l'entrée des deux demoiselles, pendant lesquelles elles firent bien des actes héroïques dans leur hospitalité...»[15]

Une date est certaine quant à la conclusion des travaux : l'autorisation donnée par Mgr de Rueil, le 28 mai 1640, de conserver le Saint-Sacrement dans la nouvelles chapelle[16].

Lorsque les travaux de l'Hôtel-Dieu et sa chapelle furent à peu près achevés, M. de la Dauversière s'employa à obtenir l'union formelle de l'aumônerie Sainte-Marguerite au nouvel Hôtel-Dieu; l'on possède divers actes à ce sujet à partir du 15 juillet 1639 [17]; les lettres patentes royales entérinant l'union et donc l'extinction du bénéfice de l'aumônerie se firent attendre jusqu'en 1643; de cette même époque date un concordat pour obtenir un aumônier au service du nouvel Hôtel-Dieu (15 juillet 1639)[18]; la question sera réglée définitivement lorsque M. Jean Gyrot se fera admettre en même temps que sa sœur Marie, en octobre 1641[19].

Mais rien n'est encore certain pour l'avenir. Si M. de la Dauversière et ses Filles ont une idée précise de ce qu'ils veulent réaliser: une sorte de confraternité locale dont on étudiera plus loin l'inspiration et le mode de vie, le Corps de ville restait attaché à l'idée de faire appel à un Ordre religieux déjà formé au service des Hôpitaux et voulait renouveler la tentative qui avait échouée à l'été 1624 auprès des Hospitalières d'Orléans; cette fois on s'adresserait à celles de Dieppe, les fondatrices de Bayeux, de Vannes... et de Québec.

En tant qu'administrateur, M. de la Dauversière dût se plier à la volonté du Corps de ville et faire les démarches nécessaires; il obtint de l'évêque la permission de faire venir à La Flèche les Hospitalières de Dieppe (16 août 1639); mais celles-ci, sans doute du fait de la fondation de Québec ne furent pas en mesure de répondre à la requête.

Le projet personnel de Jérôme Le Royer pouvait donc être adopté; un contrat fut passé entre les administrateurs de l'Hôtel-Dieu et les officiers de la maison de ville, le 23 décembre 1639, acceptant l'offre des cinq filles déjà au service des malades; c'est le premier document officiel et, si l'on veut, l'acte de naissance légal des Filles de Saint-Joseph :

> «Quelques femmes, veuves ou filles de famille distinguées,
> de probité connue, désireraient se charger de gouverner et
> soulager les pauvres dudit Hôtel-Dieu, offrant les unes de s'y
> donner corps et biens, les autres de faire quelques dons de

conséquence pour augmenter le domaine desdits pauvres, et de payer en outre une pension raisonnable pour leur propre nourriture et entretien, afin de n'être point à charge dudit Hôtel-Dieu, disant qu'elles donneraient gratuitement leurs soins et leurs travaux jusqu'au dernier soupir de leur vie pour Jésus-Christ, si on leur accordait de vivre en la maison de Dieu, sous certaines lois et règles communes en forme de statuts de communauté religieuse, sans cependant faire profession de l'état religieux, afin de rendre à Notre Seigneur ces services constamment et de bon cœur...»[20]

Le document précise comme conditions que l'accueil de membres nouveaux se ferait par cooptation, du consentement des premières, et «qu'il leur serait libre de se retirer si elles avaient de légitimes raisons de le faire.»

Ce concordat passé avec la ville deux jours avant Noël de l'année 1639 est un pas important dans la vie de la petite communauté, réunie depuis trois ans et demie. Le concordat a un caractère public avec engagement mutuel.

Les années qui viennent, 1640-1644, sont celles d'une croissance rapide du groupe initial et de son insertion dans les cadres institutionnels, moyennant l'érection de la communauté par l'autorité diocésaine (19 octobre 1643)[21], l'approbation et promulgation des Constitutions (25 octobre 1643) par l'évêque d'Angers[22], la mise en possession officielle de l'Hôtel-Dieu au nom de la ville (23 novembre 1643)[23], l'installation canonique des Filles de Saint-Joseph par délégué de l'évêque, M. Pierre Syette, le 21 et 22 janvier 1644, avec la publication de l'ordonnance épiscopale, la prise d'habit, la réception des vœux simples et l'élection de la supérieure[24].

A ce moment, la France a changé de règne; après Richelieu, mort le 4 décembre 1642, Louis XIII a disparu à son tour, le 14 mai 1643, cinq jours avant la grande victoire de Rocroi par Condé, sur le front du Nord, contre les Espagnols qui tentaient d'envahir le royaume. Le petit Roi a cinq ans, Anne d'Autriche est régente, et Mazarin premier ministre.

1. *Mémoire du petit-fils*, p. 1; cf. Chapitre III, n. 5.

2. *Inventaire des Titres et Papiers du Trésor des pauvres...*, 1 tiroir, cote A; *Archives départementales de la Sarthe*, H. 1916.

3. *Autorisation donnée par le lieutenant-général au Siège présidial de La Flèche de procéder à la reconstruction de l'Hôtel-Dieu avec sa chapelle*, 14 juillet 1634, *Archives des Hospitalières de La Flèche*, A-1-L bis .

4. *Inventaire des Titres et Papiers du Trésor des pauvres...*, 1 tiroir, cote C., et *Archives départementales de la Sarthe*,H. 1919.

5. *Inventaire et extraits des papiers de famille...*

6. Paris, *Bibliothèque Nationale*, fr. 32. 588 (Relevés faits sur les *Registres des baptêmes de Saint-Jean-en-Grêve*), p. 235; renseignement aimablement transmis par Pierre-Yves Louis.

7. Cf. *supra*, Chapitre III, n. 4.

7.a A Saint-Martin-des-Bois au canton de Montreuil-Bellay-cf *Gallia Christiana*, t.II - c. 1297; C.Port *Dictionnaire de Maine-et-Loire* t. I, 500-502.

8. Cf. *supra*, Chapitre V, n.7.

9. *Archives des Prêtres du Calvaire du Mont-Valérien*, consultées par M. Pierre-Yves Louis, Paris et *Archives Nationales*, Minutier Central LXXXIII, 205, Claude Camet, notaire.

10. Marie Morin, *Histoire simple et véritable...*, p. 27.

11. J. Grandet, *La Vie de Mademoiselle de Meleun, fille de Guillaume de Meleun, prince d'Epinoy...*, Paris, chez Georges et Louis Josse, 1687, p. 133-135.

12. Marie Morin, *Histoire simple et véritable...*, p. 27.

13. La date du 2 juin 1640 est donnée dans le *Contrat de réception de Marie de la Ferre à l'Hôtel-Dieu*, 30 octobre 1643, original manuscrit, *Archives des Hospitalières de La Flèche*.

14. *Constitutions*, p. 69.

15. Marie Morin, *Histoire simple et véritable...*, p. 28

16. *Autorisation par Mgr de Rueil de conserver le Saint-Sacrement dans la chapelle de l'Hôtel-Dieu*, 28 mai 1640, *Archives des Hospitalières de La Flèche*, 1 - 1 - S, original.

17.*Inventaire des Titres et Papiers du Trésor des pauvres...*, 1 tiroir, cote A, *Archives départementales de la Sarthe*, H. 1916; les actes complets se trouvent aux *Archives des Hospitalières de La Flèche*, A-1-P, A-1-Q.

18. *Cession et suppression du titre de l'Aumônerie Sainte-Marguerite*, 15 juillet 1639, *Archives des Hospitalières de La Flèche*, A-1-P.

19. Cf. *Contrat de réception de Me Jehan Gyrot, prêtre*, 30 octobre 1643, qui donne la date d'admission, *Archives des Hospitalières de La Flèche*, A-1-AB.

20. *Concordat passé entre les officiers de la maison de ville et les Filles de Saint-Joseph*, 23 décembre 1639, *Archives des Hospitalières de La Flèche*, A-1-P.

21. *Décret d'approbation*, cf. *supra*, Chapitre VI, n. 15.

22. *Constitutions*, p. 109-110

23. *Procès-verbal de l'installation*, le 23 novembre 1643; le document a été recopié par M. de la Dauversière lui-même, *Archives des Hospitalières de La Flèche*, A-1-AG.

24. *Procès-verbal de l'établissement canonique par Pierre Syette*, les 21 et 22 janvier 1644, *Archives des Hospitalières de La Flèche*, Registre, f F à G.

Maison de M. de la Dauversière, Côté Jardin
État ancien

Chapitre VIII

COMME LES PREMIERS CHRÉTIENS

Depuis 1634, M. de la Dauversière a travaillé à la rénovation de l'Hôtel-Dieu de La Flèche. Pour servir de cadre à la communauté qui se mettra au service de l'Hôtel-Dieu et dont il a entrevu les lignes maîtresses le 2 février 1630 au cours de son action de grâces et pour lui offrir un appui à la fois spirituel et temporel, Jérôme Le Royer a obtenu de son évêque au début de l'année 1636 l'érection d'une *Confrérie de la Sainte-Famille* dont le siège sera la nouvelle chapelle de l'Hôtel-Dieu rénové, dédiée à Saint-Joseph.

Des *Statuts* ont été soumis à l'approbation de l'évêque; nous y trouvons la première manifestation de la pensée du fondateur sur l'Eglise des origines et la première expression de son désir de la prendre pour modèle.

Il faut citer ici textuellement le préambule que l'évêque a pris à son compte, mais qui lui a été suggéré par Jérôme :

«Lorsque Notre Sauveur voulut aller à son Père, la principale prière qu'il lui fit pour son Eglise fut de lui demander que tous les fidèles fussent parfaitement un par les liens de la charité chrétienne, car il savait fort bien que son Corps mystique ne pouvait subsister si tous ses membres n'étaient pas bien unis ensemble.

«C'est pourquoi le même jour qu'il disait ces choses, il établit et confirma cette union par la communion et l'immolation de son propre corps; et ensuite les apôtres et leurs disciples, pour conserver cette parfaite union, assemblèrent souvent les fidèles dans un même lieu pour prier ensemble et pour communiquer à la fraction du pain, et par là tous les croyants ne devenaient qu'un cœur et qu'une âme.

«C'est pour la même raison qu'on a tenu tant de Conciles dans tous les siècles suivants par lesquels l'Eglise tâchait de se conserver dans l'unité; de là les assemblées une fois par semaine dans toutes les paroisses du monde; c'est pour le même sujet que se sont établies tant de congrégations qu'on appelle ordinairement confréries à cause de la charité fraternelle qu'ils ont entre eux; dans lesquelles confréries, tous les confrères se lient ensemble d'un lien plus étroit que les autres chrétiens, afin qu'étant souvent assemblés pour exercer les mêmes devoirs de piété, ils s'attachent plus parfaitement à Dieu et par ainsi qu'ils ne deviennent qu'un même corps en Jésus-Christ...»[1]

Ainsi l'idée centrale est que l'Eglise est une communion et que toute vie en commun dans l'Eglise a pour but de manifester cette communion et de l'approfondir, contribuant ainsi à cimenter l'Eglise.

La communion eucharistique est le moyen de susciter et de maintenir parmi les fidèles de l'Eglise l'union si nécessaire, léguée par le Christ comme son héritage particulier. L'Eglise des origines se réunissait ainsi fréquemment pour la fraction du pain, la prière et l'enseignement; telle était la source de son *unanimité* célébrée par le livre des Actes qui présente la communauté des fidèles comme n'ayant qu'un seul cœur et une seule âme.

Tout au long de la vie de l'Eglise, l'union a été ainsi suscitée, maintenue, soutenue, approfondie par les assemblées eucharistiques hebdomadaires, par toutes les formes de la vie en communauté et manifestations de communion, depuis les Conciles jusqu'aux confréries, qui permettent de renouveler l'unité voulue par le Christ.

On se réunit pour s'unir, pour se fondre dans l'unité, pour devenir plus réellement un seul corps dans le Christ; le moyen particulier à La Flèche, en 1636, sera l'établissement d'une confrérie en l'honneur de la Sainte Famille qui est pour les chrétiens un modèle d'unité.

Ce texte est étonnant dans sa conception comme dans sa rédaction; il n'est pas fréquent au XVII siècle de partir de l'idée de communion pour définir l'Eglise; toute vie en commun a sa source dans l'Eucharistie et contribue à cimenter l'Eglise. La première référence du préambule est la Prière sacerdotale du Christ après l'institution de l'Eucharistie : «Qu'ils soient un comme nous sommes un ...» L'unité du Corps mystique est l'expression d'une volonté dernière du Christ et le fruit de sa Passion.

Isolé, ce texte aurait déjà par lui-même une grande signification, mais il est le premier d'une série d'autres textes, tous inspirés par M. de la Dauversière. Il faut y voir l'une de ses intuitions majeures.

Le premier chapitre des futures *Constitutions* des Filles de Saint-Joseph s'est présenté à son esprit avec netteté, comme une inspiration de l'Esprit, lors de l'illumination du 2 février 1630; ce chapitre définit le caractère de l'Institut, en dessine la spiritualité :

> «L'excellence de cet état consiste en ce qu'il imite autant qu'il est possible l'ancienne vertu et sainteté des premiers chrétiens qui étaient dans le monde sans être du monde. Son avantage est d'avoir toutes les aides et moyens de mener une vie parfaite qui se retrouvent soit en l'état commun des filles qui vient dans le monde, soit en celui des religieuses...[2]

> «L'esprit de cette famille est celui d'une sainte liberté des enfants de Dieu qui fait l'âme attentive à soi, fidèle à Dieu, pure en sa vie, simple en ses intentions, douce en sa conversation, cordialement unie à ses sœurs, tendrement charitable envers les pauvres malades, constante et forte dans les accidents fâcheux et universellement désireuse de tout ce qui la peut rendre agréable à Dieu...»[3]

La référence à l'Eglise primitive est explicite. M. de la Dauversière semble soucieux d'apporter sa contribution au renouvellement de l'Eglise de son temps, entraînant après lui des âmes qui entrent pleinement dans l'esprit des premiers chrétiens.

Au jour de la Pentecôte, l'Esprit a suscité l'Eglise une et indivisible, fruit de l'amour du Christ. Comme si l'Esprit avait voulu manifester la profondeur de l'unité que l'Eglise était appelée à vivre, à maintenir et à promouvoir au cours des longs siècles de son existence à venir, la première Eglise de la Pentecôte a adopté sous son inspiration un type de vie communautaire, où l'union de charité n'a pas été seulement spirituelle et invisible, mais tangible et concrète, par la mise en commun des biens. Trois fois dans le livre des *Actes* apparaît la description de la communauté totale au sein de la première Eglise (Ac.2, 42-47; 4, 32-35; 5,12-16) : sommaire destiné à fixer fortement un modèle, un idéal, une image de référence.

M. de la Dauversière a sans cesse sous les yeux cet exemple quand il conçoit le mode de vie des Filles de l'Hôtel-Dieu; en fait, il remonte au-delà de la première Eglise d'après la Pentecôte, pour se reporter jusqu'à l'Eglise encore cachée et inchoative, non-manifestée au monde, mais principe de tous les développements ultérieurs en sa perfection propre : l'Eglise de Nazareth, le foyer de Saint Joseph, la Sainte Famille.

Car l'Eglise primitive a connu des failles, des conflits, des mensonges; l'Eglise de Nazareth est plus parfaite, plus unie, plus animée par la charité, plus possédée par l'Esprit de Dieu; on y voit les trois membres privilégiés du Corps mystique : Jésus qui en est la Tête, Marie qui est la Mère des fidèles, et Joseph qui est le gardien et le protecteur des trésors divins.

A la lumière de ces deux textes essentiels : les *Statuts de la Confrérie de la Sainte Famille* (1636), et le *Prologue des Constitutions des Filles de Saint-Joseph* (1630-1643), on comprend mieux l'enseignement donné par la disciple privilégiée de Jérôme Le Royer, Marie de la Ferre, la co-fondatrice des Filles de Saint-Joseph et première supérieure.

Avant de mourir à Moulins en juillet 1652, elle encourageait ses compagnes en ces termes : «Croyez-moi, mes chères sœurs, nous arriverons à la plus haute perfection par la fidélité à nos règles...celle de l'union, qu'elle est belle! elle fera de notre maison un petit paradis; elle retracera l'Eglise primitive où tous les chrétiens n'avaient qu'un cœur et qu'une âme et ne s'aimaient qu'en Dieu et pour Dieu...»[4]

La règle de l'union, c'est le chapitre XIII des *Constitutions* de 1643, qu'il faudrait citer presque entièrement, mais dont on pourra retenir ici quelques lignes : «La supérieure aura envers ses filles un cœur de mère... les considérant... beaucoup moins dans les défauts qu'elles pourraient avoir, mais dans la qualité qu'elles ont de filles de la Sainte Famille de Notre Seigneur (§ 1)... «Toutes aussi... respecteront sincèrement la supérieure comme leur mère... prenant pour idée de leur obéissance et sujétion celle que le Fils de Dieu a rendu à sa Sainte Mère et à Saint-Joseph (§ 2)... «Pour règle de cet amour mutuel et commun, elles prendront la parole de Notre Seigneur disant à ses Apôtres : le commandement que je vous donne est que vous vous entr'aimiez comme je vous ai aimé...»(§ 3)... «(Elles) vivront, converseront et communiquerons ensemble avec toute sincérité et cordialité selon Dieu, comme vraies sœurs et dignes filles de la sainte et paisible Famille qu'elles prennent pour modèle de la leur(§ 4)...[5]

Dans le *Directoire de l'Institut*, composé par la Mère Bérault des Essarts, supérieure de l'Hôpital de Beaufort (1671-1680 et 1683-1689), mais imprimé bien plus tard, sont rapportés des *Avis* et *Maximes* de Marie de la Ferre qui sont certainement authentiques quant à leur substance.

Or on y lit un passage très caractéristique sur la volonté de voir reproduite dans les communautés des Filles de Saint-Joseph l'esprit de l'Eglise des origines :

«Il me semble, mes chères sœurs, que nous devrions nous regarder comme ces illustres martyrs qui, après avoir souffert pour Jésus-Christ, étaient condamnés à travailler aux mines. Que ces vénérables troupes de saints confesseurs sont un beau modèle... Je me les représente, tous de différents pays, de différents caractères, mais réunis et combattant pour la même cause. Quel respect ils avaient les uns pour les autres! Comme ils se prévenaient, se supportaient, s'entraidaient! Il n'était point rebutés des faiblesses les uns des autres, ils ne les relevaient point, n'en faisait point de railleries. Cette pensée : Il a confessé Jésus-Christ, arrêtait tous les mouvements de la nature, crainte de porter la plus légère atteinte à la perfection de la charité[6].»

Héritières des martyrs et des confesseurs de la foi, imitatrices de la primitive Eglise, celle d'après la Pentecôte qui n'avait qu'un cœur et qu'une âme, les Filles de Saint-Joseph sont surtout «les filles de la sainte et paisible Famille de Jésus, Marie, Joseph; ce sont là les grands et excellents modèles qu'(elles doivent) tâcher de copier, autant qu'il est possible à une faible créature». La pensée est très cohérente.

C'est à l'exemple de la première chrétienté de Jérusalem et de la Sainte Famille que se réfère M. de la Dauversière. Les deux éléments majeurs qu'il retient sont la mise en commun des biens et donc la pauvreté d'une part, et la charité fraternelle de l'autre; le premier pôle fait l'objet des chapitres VII et VIII des *Constitutions*, le second du chapitre XIII.

Exercice de l'autorité, exercice de l'obéissance en sont des conséquences et sont subordonnés à la vie commune intégrale. On peut dire que Jérôme Le Royer est hanté par l'image de la communauté de Nazareth et celle de Jérusalem; d'où l'insistance sur la «communauté»; le mot revient à toutes les pages à commencer par le titre du chapitre I : *De l'institut de cette communauté*. La pauvreté est conçue essentiellement comme la mise en commun des ressources de chacune et, dans les *Constitutions* de 1643, leur partage avec les pauvres; cela sera modifié ensuite pour des raisons pratiques dès qu'il sera nécessaire d'envoyer des sœurs en fondation et donc de quitter la communauté des biens de La Flèche. De la pauvreté, la pensée se développe et aboutit à l'idée de communication, communauté, communion.

Il n'y a pas de chapitre particulier sur l'autorité, non plus que sur l'obéissance; tout se trouve dit au chapitre de l'union de la communauté qui est central, venant en conclusion de toute la première partie, avant d'entrer dans le détail de la description des travaux des jours et des heures, l'organisation pratique de la vie dans un Hôtel-Dieu, au service de malades.

Le concept de communauté est en effet premier; il est dit comment elle établie, des quelles personnes elle se compose; on traite des personnes en charge (confesseur et chapelain, supérieure et officières); on décrit comment l'on est admis dans la communauté et les conditions de cette admission (désappropriation personnelle, pauvreté, mise en commun des biens, ce qu'il advient des biens temporels); autour de cette communauté et pour la protéger de l'esprit du monde, il y a une clôture que l'on franchit rarement tant pour en sortir que pour y faire pénétrer des personnes de l'extérieur; cette clôture implique de la part des membres une stabilité spirituelle et matérielle; puis l'on voit comment on sort régulièrement de la communauté, soit par une démarche personnelle, soit à la suite d'un renvoi, soit par la mort pour aller rejoindre la grande communion de l'éternité; et c'est à la fin de tous ces développements qu'il est traité de l'union.

Le cadre choisi pour la réalisation du programme d'unité dans la communion est bien proche de celui défini par Saint Augustin dans sa *Règle* («Avant tout, vivez *unanimes* à la maison, ayant une seule âme et un seul cœur tendu vers Dieu; n'est-ce pas la raison même de votre rassemblement?»); Il rappelle d'assez près la vie religieuse organisée; le but en effet est de faire la synthèse ou, si l'on préfère, d'additionner les avantages d'une vie séculière pleinement donnée à Dieu (celle des dévots et des dévotes) et celle des religieuses:

> «L'avantage (de cet état) est d'avoir toutes les aides et moyens de mener une vie parfaite qui se retrouvent soit en l'état commun des filles qui vivent dans le monde, soit en celui des religieuses, hors les vœux solennels, comme sont les oraisons mentales, confessions et communions, lectures spirituelles et examens, la conduite commune des règles et la particulière tant de la supérieure que du directeur; bref, tous les autres exercices et pratiques de vertu, sans toutefois ni avoir les grands soins et le continuel tracas des affaires» (empêchement de perfection qui accompagne la vie commune du monde), «ni les austérités et difficultés de la profession religieuse» (chapitre I, § 2)[7].

La vie sera moins exigeante qu'une vie religieuse proprement dite, le soin des malades étant par lui-même une tâche difficile et lourde, mais elle sera, comme la vie religieuse, libérée par la pratique de la pauvreté et assurée d'une direction constante sur le chemin de la perfection.

En mettant tout en commun et en pratiquant la désappropriation personnelle, les filles de Saint-Joseph se dégagent du «tracas des affaires» et se libèrent pour être davantage à l'unique nécessaire, le service de Dieu, en lui-même et dans ses pauvres.

Plusieurs chapitres sont calqués sur les règlements monastiques, à commencer par les catégories de personnes qui forment la communauté : filles, sœurs domestiques, associées ou pensionnaires; d'autres sont des adaptations : réception des filles, clôture, élection de la supérieure et des officières.

Les Filles de Saint-Joseph ne sont pas des demoiselles qui se contentent de vivre sous le même toit, gardant chacune l'usage de ses biens propres, des objets qui lui sont commodes, de ses meubles, à la manière de chanoinesses ou de moniales non réformées; elles prennent très au sérieux la pauvreté personnelle, la vie commune, de sorte qu'il n'est plus possible d'établir une distinction entre le mien et le tien; la condition est celle de la première communauté chrétienne idéale, mais sans Ananie ni Saphire.

Le détail du chapitre sur la pauvreté pourrait très bien convenir à un monastère de religieuses réformées où la vie commune est menée intégralement. Il n'y a pas de recherche excessive en matière de pauvreté; ce n'est pas la misère, mais tout est prévu de manière à exclure absolument l'esprit de propriété :

«Les filles n'auront aucun argent en particulier, ne donneront ni ne recevront aucune chose sans permission de la supérieure, et ce qu'avec permission elles pourront recevoir sera pour la communauté» (chapitre VIII § 1). [8]

Ainsi, les Filles de Saint-Joseph ont-elles, dans la pratique, une vie conventuelle qui ressemble étrangement à celle des religieuses, quant à l'organisation du temps, du détail de la vie et des observances; il suffit de peu de choses au plan de la situation juridique et des conséquences de l'engagement pour les transformer en religieuses; leur type de vie se conforme à l'idéal augustinien de vie commune totale, d'union des cœurs et des âmes, rendue possible par la mise en commun des biens et la désappropriation effectible et complète de chacune.

Cette conception est donc originale; elle ne se maintiendra pas après la mort de M. de la Dauversière, car il se produisit un mouvement fortement encouragé par la hiérarchie, pour l'adoption d'une vie proprement monastique avec les vœux solennels, conformément à la législation adoptée après le Concile de Trente.

La lettre de M. Troussard montre comment lui-même fut l'un des agents de la transformation; il le raconte en toute innocence, sans paraître soupçonner que ses démarches ne correspondaient pas exactement à la pensée du fondateur :

«(Rien) n'empêcha l'heureux succès de la maison (de Laval) dans une grande union et augmentation de filles, jusqu'à ce que sœur Monnerie se présentât, pour laquelle ses parents voulurent savoir si l'on avait des lettres de Rome pour la stabilité; ce que je voulus certifier qu'il y en avait, comme j'avais toujours fait sur la parole de M. de la Dauversière qui n'avait aucune lettre de Rome que celle de la confrérie de la Sainte Famille dans l'Hôtel-Dieu de La Flèche. De quoi me voyant désabusé et voyant clairement que l'Institut irait à rien sans stabilité, sans perdre de temps, j'entrepris d'y travailler de mon mieux et fit deux voyages au Mans, pour, les uns avec les autres, faire un mariage de l'Institut des Filles Hospitalières de la Congrégation de Saint-Joseph, dans la Règle et la stabilité des Filles Hospitalières de Saint-Augustin, le tout contre le sentiment de la plupart des filles, qui, après le jour assigné pour commencer leur noviciat, le voulaient faire avec les voiles noirs; ce qui ne se devait pas pour des raisons, et ce qui m'obligea d'envoyer un exprès à M. du Mans qui envoya une commissaire pour recevoir les vœux de toute la communauté dans la stabilité; et après, ce que les autres ont fait et toutes les maisons de l'Institut depuis établies...»[9]

Mais la lettre de M. Troussard nous a entraînés au temps qui suit la mort de M. de la Dauversière; la question qui se pose ici est celle de savoir ce qui lui revient en propre dans les *Constitutions*.

La paternité des *Constitutions* ne faisait aucun doute au moment de la mort de Jérôme Le Royer pour son ancien confesseur, le P. Etienne, Récollet, et pour les Hospitalières de La Flèche : «Soyez donc, mes dames, vraies filles d'un tel père, écrit le Récollet le 30 janvier 1660, par l'imitation de ses vertus et par l'observance des pieux règlements et constitutions qu'il vous a données[10].»

Les «règlements et constitutions» sont donc substantiellement l'œuvre de M. de la Dauversière, mais il a pris conseil et s'est fait aider; l'évêque d'Angers, si bien disposé fut-il, et sa curie diocésaine n'étaient pas prêts à approuver purement et simplement l'œuvre d'un laïc, père de famille, légiférant pour une communauté d'hospitalières, même filles séculières.

De fait, lorsque les Filles de Saint-Joseph de La Flèche seront en conflit avec le successeur de Mgr de Rueil, Henry Arnauld, qui voulait leur faire adopter la clôture tridentine et les vœux solennels, elles se réclamèrent de toutes les autorités spirituelles qui avaient approuvé leur mode de vie antérieur; dans une requête du 12 décembre 1674 au marquis de la Varenne, gouverneur de La Flèche, pour obtenir son appui contre l'évêque, elles lui ont rappelé, ce qu'il ne savait probablement pas et se souciait peu de savoir :

> «Cette congrégation n'a point été érigée en religion cloîtrée sous les vœux solennels, mais en simple communauté régulière dont la plus forte clôture est l'amour de Jésus-Christ en la personne des pauvres.

> «Elle fut ainsi établie après avoir pris l'avis et délibération des plus doctes, des plus vertueux, des plus expérimentés du royaume sur la matière de communauté pour gouverner les Hôpitaux, entre lesquels furent feu M. Vincent, instituteur des Congrégations de la Mission et de plusieurs autres communautés qui ont le soin des Hôpitaux en beaucoup de villes de ce royaume, le feu Père de Condren, général de l'Oratoire, feu M. Eveillon, la lumière de notre Anjou pour la piété et la doctrine, le Révérend Père de Lingendes, le Père Vallier et autres célèbres Jésuites, lesquels après mûre délibération ne jugèrent pas à propos pour le bien des pauvres de l'Hôpital de faire une religion cloîtrée...[11]

M. Vincent, le P. de Condren, le P. de Lingendes et d'autres moins connus; M. de la Dauversière a été bien conseillé; mais M. Vincent lui-même reconnaît son rôle unique, quand il conseilla à ses filles de garder la charge de l'Hôtel-Dieu de Nantes, sans quoi on s'adresserait aux Filles de M. de la Dauversière ou a d'autres...

1. *Erection de la confrérie de la Sainte-Famille,* 17 février 1636, Original sur parchemin en latin, *Archives des Hospitalières de La Flèche,* A-1-M bis; traduction française dans la Compilation de sœur Hardouyneau et dans *Archives départementales de la Sarthe,* H. 1863.

2. *Constitutions,* p. 6.

3. *Constitutions,* p.6-7.

4. Mère Péret, *Annales de Moulins, cf. Positio pour la béatification de M. de la Dauversière, Recueil Annexe,* p. 394; et surtout *Avis de Marie de la Ferre,* imprimés dans le *Directoire* pour les *Religieuses Hospitalières de Saint-Joseph,* Le Mans, Monnoyer, 1839, p. 353-360; ce *Directoire,* imprimé tardivement, est dû à la Mère Bérault des Essarts, supérieure de Beaufort de 1671 à 1680 et de 1683 à 1689 (la paternité est attestée dans les *Annales de Beaufort* par la Mère de Gargilesse, manuscrit de 1788, p. 107).

5. *Constitutions* p. 53-55.

6. *Avis de Marie de la Ferre,* cf. supra n.4.

7. *Constitutions,* p. 6

8. *Constitutions,* p. 32.

9. Cf. *supra,* Chapitre V, n.7. Mgr de Laval se renseignera auprès de la Propagande à Rome sur la nature de ces «lettres de Rome», lettre de septembre 1667, en latin, Archives de l'Archevêché de Québec. Copies des lettres, vol. I p. 55.

10. *Lettre : du P. Etienne,* 30 janvier 1660, *Archives des Hospitalières de La Flèche, Annales de Moulins,* rédaction A, t. II f 138-140.

11. *Requête des Filles Hospitalières de Saint-Joseph au marquis de la Varenne, gouverneur de La Flèche,* avant le 12 octobre 1674, *Archives départementales de la Sarthe,* B add. 900-905; *Registres du greffe de la sénéchaussée et siège présidial de La Flèche;* copie dans *Archives des Hospitalières de La Flèche,* D-4.

Château de Meudon.

Chapitre IX

LA MISSION EN TERRE NON-CHRÉTIENNE

M. de la Dauversière était un mystique, comme Marie de L'Incarnation; lui aussi a entendu l'appel à la mission en terre non-chrétienne, il ne s'y attendait absolument pas.

Marie de l'Incarnation a raconté elle-même le songe prophétique d'après Noël 1633; elle l'a fait plusieurs fois pour plusieurs correspondants différents; tandis que la vocation de M. de la Dauversière n'est connue que par un tiers : M. Olier qui l'a raconté sous le voile de l'anonymat dans la brochure des *Véritables motifs*, en 1643. Si M. de la Dauversière l'a fait lui-même, le récit se trouvait dans la partie des cahiers qu'il a brûlés en septembre 1659, mais dont il a pu communiquer quelques pages à son ami et collaborateur Fancamp, qui fut dans la confidence dès 1635, ainsi que nous le verrons, au P. Chauveau du Collège de La Flèche et au P. Bernier qui résidait à Meudon.

La tradition postérieure des Filles de Saint-Joseph a confondu les divers moments de la mission de M. de la Dauversière; l'appel à fonder le centre missionnaire de Montréal a été entendu seulement au début de 1635. Cette année-là un groupe de confrères de La Flèche s'affilia à la *Compagnie secrète du Saint-Sacrement*; M. de la Dauversière en devint aussitôt membre; peut-être même est-il le créateur du groupe; malheureusement celui-ci est très mal connu; on a la certitude de son existence, l'on ne connaît ni sa composition ni ses activités.

Voici comment M. Olier rend compte de la vocation de Jérôme Le Royer dans la brochure de 1643; pour lui, elle est un motif d'agir pour la Société récemment fondée pour la conversion des sauvages de la Nouvelle-France; il la rapproche de la vocation de Saint Paul à passer d'Asie Mineure en Macédoine et donc à venir évangéliser les premières terres d'Europe.

Voici le texte de Saint-Luc : «Durant la nuit, une vision apparut à Paul; un Macédonien se tenait debout et le suppliait en disant : Passe en Macédoine, viens à notre secours. Et dès qu'il eut vu cette vision, aussitôt nous cherchâmes à partir pour la Macédoine, concluant que Dieu appelait à les évangéliser» (Act. 16, 9-10).[1]

M. Olier conclut la même chose de l'inspiration de M. de la Dauversière, qu'il situe en prolongement également de la mission de Saint François d'Assise en chrétienté à son retour de Terre Sainte, et de la mission de Saint François-Xavier (canonisé en 1622) aux Indes, puis en Chine où Dieu ne voulut pas qu'il entrât.

«La manière de laquelle Dieu a daigné se servir pour commencer cet ouvrage» (la création d'un centre missionnaire à Montréal), écrit Olier, «ne sera peut-être (pas) désagréable au lecteur, si la modestie de ceux qui s'en mêlent me permet, sans les nommer, d'en déclarer quelque chose, afin que Dieu soit glorifié.

«Le dessein de Montréal a pris son origine par un homme de vertu qu'il plut à la divine Bonté inspirer, il y a sept ou huit ans (donc fin 1634-début1635 au plut tôt) de travailler pour les sauvages de la Nouvelle-France, dont il n'avait auparavant aucune particulière connaissance; et quelque répugnance qu'il y eut, comme chose par dessus ses forces, contraires à sa condition, et nuisibles à sa famille. Enfin plusieurs fois poussé et éclairé par des vues intérieurs qui lui représentaient nettement les lieux, les choses et les personnes dont il se devait servir, après une longue patience et plusieurs conseils et prières, fortifié intérieurement à l'entreprendre comme service signalé que Dieu demandait de lui, il se rendit comme Samuel à l'appel de son Maître[2].»

L'affaire de Montréal n'est donc pas née d'un coup de tête; Jérôme le Royer s'est défendu devant ce projet qui s'imposait de plus en plus fortement à son esprit; il s'est raisonné : ses possibilités, ses moyens financiers, ses devoirs familiaux, son entreprise déjà commencée au bénéfice de l'Hôtel-Dieu; rien n'y fit. Il était toujours plus certain de la volonté de Dieu.

Olier écrit que Jérôme n'avait «aucune particulière connaissance» de la Nouvelle-France; c'est l'adjectif «particulier» qui, seul, est exact, car il était pratiquement impossible à La Flèche, de la part d'un ancien élève des Jésuites, congréganiste de surcroît, d'ignorer l'effort missionnaire entrepris par les Jésuites à partir de 1625 (pour ne pas parler de la première mission d'Acadie à laquelle avait pris part le P. Massé) et intensifié à partir de 1632; chaque année, depuis 1633 paraissait chez Sébastien Cramoisy un petit livret destinée à mettre le public, principalement la clientèle de la Compagnie et les élèves, au courant de ce qui se passait dans la mission de Nouvelle-France outre-Atlantique; M. de la Dauversière avait pu lire la *Relation* de 1632 (parue en 1633) et celle de 1633 (parue en 1634), plus tard celle de 1634.

Il n'ignorait pas non plus, comme syndic des Récollets, que ceux-ci avaient été chargés de la mission de 1615 à 1629; l'un d'eux était le P. Jean Dolbeau, un Angevin. Peut-être avait-il eu l'occasion de prendre connaissance des *Voyages de la Nouvelle-France de Samuel de Champlain*, parus à Paris en 1632, car c'est celui-ci qui avait appelé les Récollets au Canada. Mais cela ne suffisait pas à lui donner une connaissance «particulière».

La première intuition ne comportait pas nécessairement tous les détails du plan qui sera exposé dans le court schéma du *Dessin des Associés de Montréal*, jeté sur le papier en 1640 ou 1641; mais elle était déjà très précise.

M. de la Dauversière ne s'embarqua pas d'enthousiasme sur cette galère; M. Olier est très affirmatif à ce sujet :

> «Comme il recherchait les moyens les plus propres pour l'exécution de son entreprise, le diable qui craint être dépossédé de ce qui lui reste de puissance entre les Infidèles, ne manqua pas à lui dresser plusieurs batteries, lui remettant souvent en l'esprit pourquoi c' est qu'il ne se contentait pas du bien et du repos qu'il avait en sa famille, en son pays, sans se charger d'une affaire qui ne passerait au monde que pour une témérité ou folie, ce qu'il pensait faire d'une femme et de six enfants, qui c'est qui le faisait mêler de telles choses sans appui, sans doctrine et sans moyens ni apparences d'en avoir...»[3]

Bref, au moment d'en venir à l'action directe (ce qui ne se fit guère avant 1639), il passa par une crise intérieure ; «Toutes les grâces reçues autrefois, les prières et bonnes œuvres faites pour cela, étaient hors de sa mémoire, avec une peine d'esprit, amertume, dégoût et ténèbres intérieurs, telles qu'il ne pouvait penser à autre chose qu'à se représenter les croix et contradictions que en devaient arriver, périls par la mer et par terre, et une dépense presque infinie qui l'épouvantait, et mille autres difficultés dont la moindre était suffisante pour lui faire lâcher pied, si Dieu ne l'eût soutenu, l'encourageant à lui rendre ce service et à se confier en son assistance.»[4] Tous les pressentiments de Jérôme n'étaient que trop fondés.

Mais en 1635, il confia ses inspirations, ainsi qu'il le devait, à son confesseur et directeur, peut-être le P. Etienne; celui-ci l'invita à en parler au P. Chauveau ; à moins qu'il ne soit allé directement au P. Chauveau qui dirigeait la *Congrégation des externes*. L'événement est donc certainement antérieur à 1636, car à cette date, le Père quitta La Flèche pour Nantes.

Celui-ci hésita beaucoup, comme bien l'on pense, puis l'envoya consulter le P. Bernier qui résidait souvent au château de Meudon chez la duchesse d'Elbeuf (entre 1633 et 1637), car les deux jésuites étaient très liés et le P. Chauveau considérait avec raison le P. Bernier comme un grand spirituel, jouissant d'un charisme particulier pour le discernement des esprits.

Dans son *Mémoire* le petit-fils écrit : «En 1635, Jérôme étant allé à Paris pour l'établissement de la maison de Montréal, et étant à Meudon...il entrait par un bout de galerie et M. Olier entrait par l'autre, et sans se connaître et s'être jamais vus, ils coururent l'un à l'autre et ils s'embrassèrent, et s'étant communiqués leur desseins, il se trouve qu'ils avaient la même passion de travailler à la conversion des sauvages de la Nouvelle-France..»[5]

Le petit-fils commet une erreur; il ne pense qu'à l'Hôtel-Dieu de Montréal (comme toutes les sources des Hospitalières qui centrent leur attention sur cette fondation qui les concerne directement), et il parle d'une visite chez M. de Châteauneuf (Abel Servien), garde des sceaux, qui ne l'était pas à cette date et n'habitait pas encore à Meudon. Mais les autres détails sont exacts; on les connaît par une autre source; l'ami de M. Olier, M. de Bretonvilliers dans son *Esprit de M. Olier*, rédigé vers 1659-1660, écrit:

«Nous pouvons ajouter ce qui lui (M.Olier) arriva avec une autre personne d'une piété très reconnue. Etant tous deux, il y a environ 18 ou 20 ans, au château de Meudon pour visiter le Père Bernier, en l'attendant, dans une salle, par un mouvement intérieur, ils se jetèrent au col l'un de l'autre, sans s'être jamais connus, avec des tendresses et une cordialité si grande qu'il leur semblait qu'ils n'étaient qu'un même cœur, et avec de certaines paroles de l'Ecriture qui leur furent mises en bouche. Ensuite M. Olier dit la Messe, où il (M. de la Dauversière) communia. Après l'action de grâces ils allèrent dans le parc, dans lequel ils furent trois heures entières ensemble à s'entretenir des choses de l'autre vie, que l'Esprit et leur zèle leur fournissaient. Cette union fut si forte qu'elle a demeuré ferme et constante jusqu'à la mort de tous les deux»[6].

M. de Bretonvilliers ne dit pas que l'entretien porta sur le projet de Montréal et les missions de la Nouvelle-France, mais c'est vraisemblable puisque M. de la Dauversière était venu précisément de Meudon pour consulter le P. Bernier à ce sujet, et que dans les *Mémoires* de M. Olier, rédigés à partir de mars-avril 1642, on lit pour l'année 1636:

«Etant instruit des biens qui se font en Canada, peuples gentils, et me trouvant lié de société comme miraculeuse à celui à qui Notre Seigneur a inspiré le mouvement et commis le dessein et entreprise de Ville-Marie, ville qui va se bâtir au Canada dans l'île de Montréal, je me suis senti toujours porté d'aller finir mes jours en ces quartiers, avec un zèle continu d'y mourir pour mon Maître...»[7].

Bien d'autres projets cependant allaient trotter dans la tête et dans le cœur de M. Olier avant qu'il n'apporte son concours effectif à l'œuvre de Montréal : les missions d'Auvergne, la réforme des moniales de la Regrippière près de Nantes, le diocèse de Châlons dont on lui a offert de devenir coadjuteur, les missions du pays chartrain, sans parler de sa grande dépression de juillet 1639 à juin 1641, qui va le rendre pour un temps impropre à tout travail suivi, avec cependant des temps de rémission.

Durant les années 1635-1639, le projet mûrit silencieusement; les nécessités de l'Hôtel-Dieu et la création de la communauté des

Filles de Saint-Joseph à La Flèche absorbaient le plus clair de l'activité de M. Le Royer.

La création de Sillery par les Jésuites, grâce à la générosité du commandeur Noël Brûlart de Sillery, ancien ambassadeur en Espagne, devenu prêtre, aida peut-être à préciser quelques traits de ce que serait Montréal; Sillery était un village indien chrétien près de Québec pour les Algonquins que l'on tentait de sédentariser. La donation du commandeur fut faite en 1637, et l'on travailla aussitôt aux défrichements nécessaires et à la construction de logements.

Le projet de M. de la Dauversière présente de grandes analogies avec celui-là, mais au lieu d'un village à proximité de Québec, l'implantation du nouveau centre missionnaire devait se faire dans l'île de Montréal, presque 300 kilomètres plus à l'Ouest, dans une région fort exposée aux attaques des Indiens ennemis des tribus que les Français avaient pour alliés. Les Jésuites de Paris se montrent assez favorables; surtout, Jérôme Le Royer est assuré de l'appui de la Compagnie du Saint-Sacrement; mais pour le moment, il doit agir seul avec son ami. M. de Fancamp, dont la fortune personnelle, autrement importante que la sienne, donne quelque consistance à un projet qui, autrement, aurait semblé absolument chimérique :

> «La première fois qu'il plut à Dieu me donner la pensée de considérer à fond le sujet de Montréal, écrit M. Olier, il se présenta à mon esprit comme le part (l'enfantement) d'une ourse délivrée de ses petits; au commencement, ils ne paraissent qu'une masse de chair informe, confuse, et qui fait peur à voir de près, mais sitôt que la mère les a léchés, polis et échauffés, on est tout étonné de voir peu à peu ces petits animaux parfaits de leurs membres et capables de réjouir leur mère.

> «Ainsi en est-il du part de Montréal; ceux qui l'ont enfanté, d'abord ne savaient où il devait aboutir, ils n'y voyaient que choses à faire peur, d'y penser (seulement), incertitude par où commencer, point d'ordre pour exécuter ni vue à le pouvoir achever...»[8]

Il fallait d'abord à M. de la Dauversière et à son ami s'assurer de la propriété de l'île de Montréal; concession en avait été faite quelques années plus tôt, à fin de colonisation, à Jean de Lauson, alors intendant du Dauphiné; il avait acquis l'île sous un prête-nom, Jacques Girard de la Chaussée, le 30 avril 1638.

En 1640, le projet de Montréal a pris corps; Le Royer et Fancamp ont commencé à acheter outils et provisions afin de les acheminer à Québec par la flotte de printemps. Mais leur premier voyage à Vienne est un échec : ils n'obtiennent rien de Lauson.

M. de la Dauversière ne se décourage pas; il se rend à Paris afin de demander au P. Charles Lalemant, le procureur des missions canadiennes, de l'appuyer ; c'était un ami fidèle de Lauson.

Le P. Lalemant accepta d'accompagner le futur fondateur de Montréal à Vienne; cette fois la cession fut consentie et un contrat signé le 7 août 1640. Il s'agissait d'un don pur et simple; aussi l'île n'avait-elle encore aucune valeur marchande.

Mais ce que ne savait pas Jérôme, c'est que la cession était invalide, parce que Lauson n'avait rempli aucun des devoirs de vassal pour sa seigneurie, à l'égard de la Compagnie des Cent-Associés qui la lui avait cédée. Il y eut donc de la part de celle-ci retrait féodal; elle entendait faire la concession au nouvel entrepreneur de colonisation, à ses conditions propres, comme s'il s'agissait d'une cession faite pour la première fois.

Celles-ci n'étaient pas draconiennes : la Compagnie de la Nouvelle-France se réservait le bout de l'île, commandant le lac Saint-Louis et la rivière des Prairies, et cédait en compensation une partie de la rive nord du Saint-Laurent. Au plan militaire, la Compagnie se réserve également l'autorité : c'est elle qui bâtira fort ou citadelle si besoin est: la colonie pourra seulement se retrancher pour se garantir contre les attaques des Indiens. Enfin les terres dans l'île de Montréal ne pourront être cédées à des Français déjà établis à Québec, Trois-Rivières ou ailleurs en Nouvelle-France, mais seulement à des colons que feront passer de France les nouveaux seigneurs.

Le nouvel acte fut signé à Paris, le 17 décembre 1640; il restait peu de temps pour préparer le premier embarquement qui devait se faire au printemps. Grâce au P. Charles Lalemant, M. de la Dauversière trouva le chef militaire et civil du petit groupe qu'il allait envoyer, Paul Chomedey de Maisonneuve, un gentilhomme champenois. Il restait à réunir des fonds, à recruter les premiers engagés et à préparer l'embarquement, sous peine de retarder d'une année la création de la colonie.

M. de la Dauversière trouva quelques gens de métier et laboureurs, célibataires pour la plupart, qui s'engageaient pour trois, quatre ou cinq ans, avec salaire annuel et remboursement des frais de passage à l'aller et au retour à la fin de l'engagement. Ceux qui n'avaient accepté de contracter que pour trois ans devaient donc revenir en 1644.

L'on ne possède pas d'état nominatif de l'embarquement; mais seulement le nombre total : une dizaine qui devaient prendre la mer à Dieppe; une douzaine sur un premier navire qui partirait de La Rochelle, et vingt-cinq sur un autre vaisseau avec Maisonneuve. Une cinquantaine d'hommes en tout et trois femmes dont Jeanne Mance.

Des engagés sont recrutés dans la région de La Flèche, à Paris et autour de La Rochelle.

A la Rochelle, M. de la Dauversière fit la rencontre de Jeanne Mance qui cherchait une occasion de passer en Nouvelle France; rencontre fortuite pour lui; peut-être ménagée également par le P. Charles Lalemant, ainsi qu'il en avait été pour Maisonneuve. Le récit de la naissance de leur amitié est parvenue sous deux formes : l'on possède d'une part les souvenirs de M. de la Dauversière, tels que les a racontés M. Olier en 1643; de l'autre les souvenirs de Jeanne Mance, rapportés par Dollier de Casson en 1670. Voici la version de Jérôme Le Royer; on peut penser que le rédacteur de la brochure des *Véritables motifs* rapport l'essentiel de ce qu'il a raconté ou écrit:

«En 1641, comme il préparait son premier équipage et magasin pour Montréal, son compagnon et lui avaient souvent demandé à Dieu quelques personnes pour la direction et conduite de cette sienne nouvelle famille qu'ils envoyaient en cette île inculte et abandonnée, Dieu leur en présente deux en divers temps, de sexe, condition et demeures différentes...Le premier, gentilhomme de vertu et de cœur...

«L'autre fut une demoiselle, grande servante de Dieu, qu'il rencontra à la porte d'une église à La Rochelle où il était allé faire embarquer ce qu'il fallait pour Montréal, et s'étant tous deux salués sans s'être jamais vus ni ouï parler l'un de l'autre, en un instant, Dieu leur imprima en l'esprit une connaissance de leur intérieur et de leur dessein si clair que, s'étant reconnus, ils ne purent faire autre chose que remercier Dieu de ses faveurs, et, ayant communiqué quelque temps ensemble, elle s'offrit de passer à Montréal pour y servir Dieu en ses pauvres sauvages, à quoi depuis un long temps Dieu l'avait doucement disposée; et pour ce sujet, elle s'était rendue de Paris à La Rochelle.[9]»

On pourrait croire que Jean-Jacques Olier interprète les faits à la lumière de son expérience personnelle de Meudon, mais Dollier de Casson confirme ce qu'il avance, en apportant un certain nombre de détails inédits qu'il connaissait par Jeanne Mance : l'église était celle de la résidence des Jésuites; et c'est M. de la Dauversière qui prit l'initiative d'aborder Jeanne, sans l'avoir vue auparavant, la saluant par son nom et l'entretenant du dessein de Montréal; le Sulpicien ajoute que M. de la Dauversière avait «peut être (été) instruit par le R. P. Laplace»[10], mais il n'en est pas autrement sûr.

Avec Maisonneuve et Jeanne Mance, la petite colonie était bien encadrée; mais quelle en était exactement la nature : simple peuplement de type classique ou colonie proprement missionnaire?

1. *Véritables motifs*, p. 20.

2. *Véritables motifs*, p. 26-27.

3. *Véritables motifs*, p. 27-28.

4. *Véritables motifs*, p. 28-29.

5. *Mémoire du petit-fils*, cf. *supra*, Chapitre III, n. 5.

6. Bretonvilliers, *L'Esprit de M. Olier*, Archives du Séminaire Saint-Sulpice à Paris, ms. 100, t. II, p. 369-370.

7. *Mémoires autographes de M. Olier*, Archives du Séminaires Saint-Sulpice à Paris, t. I, p. 17; ce texte a été écrit en mars 1642, les souvenirs ne sont pas datés de façon rigoureuse; Olier parle d'une grâce reçue un 2 février (l'année n'est pas précisée), en méditant l'*Antienne* «Lumen ad revelationem gentium»; il semble que ce soit au temps où l'évêque de Langres ait cherché à l'avoir pour coadjuteur (1634) : «Tout d'un coup, je vis en esprit la Sainte Vierge qui me tenait dedans ses bras et me donnait à un prélat de grande piété qui était à genoux...» Mais il ne comprend pas alors le sens des paroles «La révélation aux gentils», car, écrit-il, «je disais que ce diocèse était parmi les chrétiens»; le sens des paroles ne lui est venu qu'après : «Je ne savais point même qu'on chantât si souvent ces paroles dans l'Eglise ce jour-là et ne m'en suis aperçu que quelques années après»; et il ajoute : «Et étant instruit des biens qui se font en Canada...» La chronologie est donc des plus vagues dans les *Mémoires*.

8. *Véritables motifs*, p. 122-123.

9. *Véritables motifs*, p. 30.

10. Dollier de Casson, *Histoire de Montréal, 1640-1672*, éd. R. Flenley, London & Toronto, 1928, p. 82.

Notre-Dame de Paris

Chapitre X

LE PROJET MISSIONNAIRE

Le projet missionnaire n'apparaît guère dans les actes de 1640; le document dressé par la Compagnie des Cent-Associés ou Compagnie de la Nouvelle-France est une concession entre bien d'autres, l'un des actes parmi les mieux conçus du genre; les propriétaires légaux sont uniquement Pierre Chevrier, baron de Fancamp qui vient en premier, car il a plus de «surface» sociale, et Jérôme Le Royer de la Dauversière; ils sont vassaux de la Grande Compagnie et leur fonction légale est de défricher et de peupler leur nouvelle seigneurie.

Mais les deux hommes ont derrière eux l'appui discret de la Compagnie du Saint-Sacrement; leur entreprise est privée, elle n'a reçu aucun mandat explicite ni du Roi ni des supérieurs ecclésiastiques, mais elle intéresse le parti dévot en la personne de quelques-uns de ses chefs, notamment le baron de Renty, et les Jésuites de Paris ont donné leur caution.

Il est probable que M. de la Dauversière a eu plusieurs fois l'occasion de mettre par écrit pour l'un ou l'autre des membres de la Compagnie du Saint-Sacrement ce qu'il entendait réaliser à Montréal.

Au moment de l'embarquement à La Rochelle en juin 1641, Jeanne Mance lui suggéra de rédiger une lettre à l'intention de quelques personnes influentes qu'elle avait rencontrées à Paris durant l'hiver précédent :

«Mlle Mance s'avisa fort prudemment de prier M. de la Dauversière qu'il lui plût de mettre par écrit le dessein de Montréal», lit-on dans Dollier de Casson qui tient le fait de Jeanne elle-même, «et de lui en délivrer des copies qu'elle put les envoyer à toutes ces dames qui avaient voulu la voir à Paris, entre autre à Madame la Princesse, à Madame la Chancelière, à Madame de Villesavin, mais surtout à Madame de Bullion de qui elle espérait davantage.

«M. de la Dauversière estima que rien ne pouvait être mieux pensé; il dressa le dessein, fit faire des copies qu'il lui mit en mains»[1].

Ce document devait être très proche dans sa teneur, sinon identique à un brouillon de la main même de M. de la Dauversière qui a été conservé aux archives de Saint-Sulpice à Paris et qui représente un schéma envoyé à M. Olier; il n'est pas daté : mais s'il n'est pas de 1641, il est antérieur à la fondation, et bien évidemment antérieur à la brochure des *Véritables motifs* (1643); il rend compte du projet missionnaire, au point où il était parvenu au moment de la fondation de Montréal[2].

Il est ambitieux; on va le voir; une citation intégrale n'est pas nécessaire, mais les principales clauses méritent d'être relevées :

«Le Dessein des Associés de Montréal est d'y travailler purement pour la gloire de Dieu et le salut des sauvages. Pour l'établir solidement ils ont arrêté entre eux d'y envoyer l'an prochain» (la fondation réelle se fit au printemps 1642) «quarante hommes bien conduits et équipés de toutes les choses nécessaires pour une habitation...

«Lesdits quarante hommes, étant arrivés dedans l'île, se logeront avant toutes choses, puis s'occuperont quatre ou cinq à défricher la terre et la mettre en état d'être cultivée; et afin d'avancer la besogne, lesdits associés augmenteront d'année en année le nombre desdits ouvriers selon leur pouvoir...

«Ensuite de quoi ils feront édifier un séminaire pour y instruire les enfants mâles des sauvages, dedans le quel séminaire il pourra (y) avoir dix ou douze ecclésiastiques, trois ou quatre desquels sauront les langues du pays afin de les enseigner aux missionnaires qui viendront de France, lesquels en arrivant se reposeront là un an pour les apprendre, et ensuite être dispersés par les nations, ainsi qu'il sera jugé à propos.

«Les autres ecclésiastiques s'occuperont de l'instruction desdits enfants des autres sauvages et des français habitant ladite île.

«Ledit séminaire servira aussi pour retirer les missionnaires qui pourraient tomber malades ou autrement être incommodés, lesquels y pourront être amenés en peu de temps au moyen des rivières qui viennent de tous côtés se décharger autour de ladite île dans le grand fleuve Saint-Laurent.

«Il y faudra aussi un séminaire de religieuses pour y instruire les filles sauvages et françaises, et un Hôpital pour y gouverner les pauvres sauvages quand ils seront malades.

«Toutes ces choses étant en bon état, on ne pensera qu'à bâtir des maisons pour y loger quelques familles françaises, les ouvriers nécessaires dedans le pays, les jeunes gens mariés qui auront été instruits aux séminaires, et autres sauvages convertis qui se voudront arrêter, auxquels on donnera des grains pour les semer, des outils et des hommes pour leur apprendre à les cultiver.

«Ce faisant, il espèrent de la bonté de Dieu voir en bref une nouvelle Eglise imitant la pureté et charité de la primitive, et qu'avec le temps eux et leurs successeurs, étant bien établis en ladite île de Montréal, pourront s'étendre dedans les terres et amont le grand Fleuve Saint-Laurent et y faire de nouvelles habitations pour la commodité du pays et faciliter la conversion des sauvages.»

La fondation en bonne voie, puisque les quarante hommes étaient partis sous la direction de Maisonneuve et de Jeanne Mance. La première tranche du programme serait celle de l'installation et du défrichement, de 1642 à 1645 ou 1646; chaque année, de nouveaux engagés seraient envoyés afin de prendre le relais des premiers qui rentreraient en 1644 à l'expiration de leur contrat; de la sorte le travail de défrichement ne ralentirait pas.

En 1646-1647, on songerait aux bâtiments pour abriter les futurs missionnaires et leur maison d'éducation, car ils devront former de jeunes Indiens à la vie sédentaire; c'est surtout sur les générations à venir que l'on compte pour la réalisation du programme.

Le nouveau centre missionnaire ne sera pas confié aux Jésuites, mais à des prêtres séculiers, formant un «séminaire». Si le document est de 1640 («envoyer l'an prochain») ou de 1641, Saint-Sulpice n'existe pas (les tout premiers commencements à Vaugirard sont du 29 décembre 1641), mais les communautés de ce type étaient devenues une structure à laquelle il était facile de se référer : la communauté de Saint-Nicolas du Chardonnet d'Adrien Bourdoise remontant à 1612; Hubert Charpentier avait fondé en 1633 les Prêtres du Mont-Valérien, sans parler des Prêtres de la Mission de M. Vincent; le groupe des missionnaires auquel s'était joint M. Olier avait formé une communauté à Saint-Maur-des-Fossés de septembre 1640 à janvier 1641, et M. Olier lui-même n'était plus au plus bas de sa dépression depuis novembre 1640 et avait ses propres projets dont il a pu entretenir M. de la Dauversière.

Le *Mémoire* du petit-fils rapporte d'ailleurs un détail inédit de la vie de M. Olier qui remonte à l'époque où il fut nommé coadjuteur de Châlons (juin 1639), charge que son directeur, le P. de Condren, lui conseilla alors de refuser. On lit dans le *Mémoire*, dont la source ici semble être M. de Fancamp :

> «Monsieur Olier qui avait refusé plusieurs évêchés en accepta cependant un dans la vue d'y convertir beaucoup d'hérétiques, mais Jérôme lui dit que Dieu le destinait à l'établissement d'un séminaire en la paroisse de Saint-Sulpice à Paris. M. Olier quitta son premier dessein et ne pensa plus qu'à établir ce séminaire»[3].

Dans la pensée de Jérôme Le Royer le séminaire de Montréal, sorte de Séminaire des Missions étrangères avant la lettre, pourrait être pris en charge par M. Olier (qui avait rêvé en 1636 d'aller travailler en personne, à la Mission en Nouvelle-France, ainsi qu'il l'écrit dans ses *Mémoires*).

L'effectif du séminaire à Montréal même devrait être de dix à douze prêtres : trois ou quatre pour former les arrivants et leur apprendre les langues indiennes en les initiant sur place au travail de la mission; quelques missionnaires en formation et ceux qui vaquent au ministère à Montréal : éducation des petits Indiens, assistance spirituelle des Indiens sédentarisés et des Français; il est révélateur que ceux-ci soient mentionnés en dernier; rien ne montre mieux la finalité missionnaire de Montréal; les Français ne sont là que pour les Indiens; la perspective n'est pas la même que dans l'acte de concession de l'île par la Compagnie de la Nouvelle-France.

Une autre fonction du séminaire sera d'être un lieu de repos pour les missionnaires dispersés «par les nations»; ces derniers appartiennent au séminaire; leur nombre n'est pas limité; on les envoie selon «qu'il sera jugé à propos», c'est-à-dire selon les espérances que suscite tel ou tel champ missionnaire, comme font les Jésuites; car, telle est bien l'intention de M. de la Dauversière dans ce schéma : ouvrir aux prêtres séculiers le champ missionnaire et calquer plus ou moins l'organisation de la mission sur celle des Jésuites; mais il n'entre pas dans les problèmes canoniques que cela pourra poser; il ne semble pas même s'en douter.

De même sera-t-il nécessaire à ce nouveau centre de missionnaires de posséder des institutions analogues à celles que vient de recevoir Québec en 1639 : un séminaire de religieuses pour y instruire les filles sauvages et françaises; c'est exactement la mission que se proposera Madame de la Peltrie à l'arrivée des colons de Montréal, oubliant que son œuvre à Québec était à peine ébauchée; et un Hôpital pour les Indiens.

M. de la Dauversière pense que les trois maisons : Séminaire, Monastère d'enseignantes, Hôtel-Dieu pourraient voir le jour quatre ou cinq ans après la fondation.

Ensuite de quoi l'île commencera à être habitée : quelques familles françaises destinées à encadrer la nouvelle chrétienté, les jeunes Indiens formés au séminaire qui seront alors en âge de se marier, et les Indiens convertis qui auraient accepté de se sédentariser. Pour chacune de ces familles, quelle que soit leur provenance, il faut une maison, quelques terres déjà essartées (au XVII siècle, on parle de *désert* plutôt que d'*essart*, mais le sens est le même), des outils. Les Indiens, surtout les convertis adultes venus se fixer, ont besoin en outre d'une assistance technique efficace, car ils savent peu de choses de la culture à la manière française; les jeunes au contraire y ont été initiés durant leurs temps de «séminaire».

Le dernier acte ou mieux l'étape ultime sera la création de villages chrétiens sur le modèle de Montréal dans les terres et en amont de l'île le long des rivières. Montréal deviendrait ainsi un centre de peuplement Indien, comme Québec était principalement destiné à devenir un centre de peuplement français : deux provinces, deux aires d'expansion, ou trois si l'on prend en compte l'œuvre entreprise par les Jésuites au pays Huron au Fort-Sainte-Marie. 1640 est vraiment le temps des espérances folles.

M. Olier allait ajouter un nouvel élément à ce plan ambitieux : « La conduite de quelqu'homme Apostolique, qui les mènera dans les pâturages de la grâce avec le bâton pastoral, autant attendu que ce bien est retardé par notre froideur à prier le Seigneur de cette moisson qui veut en être pressé, ainsi qu'il l'a recommandé à ses disciples et, par eux, à tous nous autres[4].»

Montréal devrait devenir le plus tôt possible le siège d'un évêché, avec un successeur des Apôtres et un bâton pastoral. C'est ce que comprendra M. Le Gauffre, l'un des associés, ami et disciple du pauvre P. Bernard, à Paris, qui, dès 1645, donna 30.000 livres pour l'établissement d'un évêché en Nouvelle-France; Mazarin fut saisi de l'affaire, les Jésuites n'élevèrent pas d'obstacles, l'Assemblée du clergé de France se montra favorable, et l'on préconisa le nom de M. Le Gauffre lui-même, mais il mourut le 25 mai 1646, durant une «retraite d'élection» où il examinait avec son directeur si oui ou non il allait accepter la charge.

«Dieu…semble avoir choisi cette situation de Montréal, agréable et utile, écrit Olier dans la brochure des *Véritables motifs*,… pour y assembler un peuple composé de Français et de Sauvages qui seront convertis pour les rendre sédentaires, les former à cultiver les arts mécaniques et la terre, les unir sous une même discipline dans les exercices de la vie chrétienne, chacun selon sa force, complexion et industrie, et faire célébrer les louanges de Dieu en un désert où Jésus-Christ n'a jamais été nommé…»[5]

Les historiens se sont penchés mainte et mainte fois sur ce qui s'est réellement passé, sur le difficile développement de la petite colonie; ce qui nous intéresse ici essentiellement est de découvrir l'intuition de M. de la Dauversière, ce qu'il a voulu réaliser, ce qui l'a amené à agir. Son intention est missionnaire et ses vues sont très larges, on pourrait même dire utopiques; c'est cela qu'il a fait partager à son entourage, le baron de Fancamp d'abord, M. Olier de Meudon, le P. Charles Lalemant, les confrères de la Compagnie du Saint-Sacrement, notamment le baron de Renty, Maisonneuve et Jeanne Mance.

Mais il ne suffisait pas de jeter sur le papier les grandes lignes du «Dessein des Associés de Montréal» et d'envoyer un premier contingent de colons au bout du monde, il fallait assurer les arrières et donc créer effectivement la *Société de Notre-Dame de Montréal pour la conversion des sauvages de la Nouvelle-France*; ce n'était pas chose faite en juin 1641 au moment du départ de La Rochelle.

Au début de 1642, la *Société* existe; dans la *Relation des Jésuites* de 1642, le P. Vimont cite une lettre reçue de M. de la Dauversière lui-même:

«Environ trente-cinq personnes de condition se sont unies pour travailler à la conversion des pauvres sauvages de la Nouvelle-France, et pour tâcher d'en assembler un bon nombre dedans l'île de Montréal, qu'ils ont choisie, estimant qu'elle est propre pour cela. Leur dessein est de leur faire bâtir des maisons pour les loger et défricher de la terre pour les nourrir, et d'établir des séminaires pour les instruire, et un Hôtel-Dieu pour secourir leurs malades» (on reconnaît le document cité plus haut).

«Tous ces Messieurs et Dames s'assemblèrent un jeudi vers la fin du mois de février de cette année 1642, sur les dix heures du matin en l'église de Notre-Dame de Paris, devant l'autel de la Sainte Vierge, où un prêtre d'entre eux dit la sainte Messe et communia les associés qui ne portent point le caractère (les non-prêtres); ceux qui le portent célébrèrent aux autels qui sont à l'entour de celui de la Sainte Vierge; là tous ensemble ils consacrèrent l'île de Montréal à la Sainte Famille de Notre Seigneur, Jésus, Marie et Joseph, sous la protection particulière de la Sainte Vierge. Ils se consacrèrent eux-mêmes et s'unirent en participation de prières et de mérites, afin qu'étant conduits d'un même esprit, ils travaillent plus purement pour la gloire de Dieu et pour le salut de ces pauvres peuples, et que les prières qu'ils feront pour leur conversion et pour la sanctification d'un chacun desdits associés soient plus agréables à sa divine Majesté.»

La lettre citée par le P. Vimont s'achevait ainsi : «Nous espérons tous que votre Révérence embrassera cet ouvrage et qu'elle ira en personne aider ces pauvres infidèles pour leur faire connaître leur Créateur[6].»

On reconnaît bien la marque de M. de la Dauversière : le choix du lieu, cet autel de la Vierge à Notre-Dame de Paris, il avait été investi d'une mission en 1635, par le Seigneur en présence de sa Mère et de Saint Joseph, et où il avait reçu en gage l'anneau gravé aux noms des membres de la Sainte Famille; la consécration à la Sainte Famille[7]; la création d'une sorte de fraternité spirituelle qui rappelle la *Congrégation de la Sainte Famille* de La Flèche(1636)[8].

L'assemblée du jeudi 27 février avec son caractère officiel et en même temps son aspect de «consécration collective», marque la naissance de la *Société de Notre-Dame de Montréal* dont le but est de réaliser par étapes les divers points exposés dans le document intitulé le «Dessein des associés», vieux d'une année ou deux.

La nouvelle Société de colonisation missionnaire compte trente-cinq membres : Marie-Claire Daveluy en compte trente-huit, mais elle cite aussi Maisonneuve et Jeanne Mance qui sont à Montréal, et Pierre de Puiseaux qui est à Québec : manifestement ils ne sont pas inclus dans le nombre indiqué. Les prêtres y sont nombreux : M. Olier, Pierre Le Gouvello de Kériolet, Elie Laisné de la Margerie, Thomas Le Gauffre, Nicolas de Barrault, l'abbé de Bassancourt, Mgr Brandon du Laurent, évêque de Périgueux, Pierre-Denys Leprestre.

Il y a également des dames : Madame de Bullion, la princesse de Condé, la baronne de Renty, la chancelière Séguier, la mystique Marie Rousseau, Madame Rémy, Madame Séguin et bientôt Madame de Villesavin.

En fait, la *Société de Montréal* est essentiellement une organisation dévote qui adopta peut-être les *Statuts* de la confrérie de la Sainte Famille de La Flèche (1636) pourvue de bulles pontificales; mais il n'y a pas de contrat ni de façade juridique; au plan légal elle n'existe pas, et cela sera confirmé par un jugement du parlement de Paris en 1647; elle ne possède pas de lettres patentes enregistrées devant le Parlement; elle n'a pas de capital ni de propriété collective; les contributions sont volontaires et gratuites; il n'y a pas de recettes ni de profits; les Associés faisaient des aumônes et les seuls responsables étaient le baron de Fancamp et M. de la Dauversière, propriétaires de l'île en vertu de la concession faite par la Compagnie de la Nouvelle-France. Il en ira longtemps ainsi : c'était à la fois une grandeur et une faiblesse.

1. Dollier de Casson, *Histoire de Montréal*, éd. Flenley, p. 86.

2. *Le Dessein des Associés de Montréal, Archives du Séminaire Saint-Sulpice* à Paris, *Fonds Canada*, 109, doc. 5; original de la main de M. de la Dauversière; L. Cesbron Lavau l'a publié dans un article de la *Revue L'Anjou historique,* paru ensuite en tiré à part : *Saint René Goupil et les Missionnaires Angevins du Canada aux XVII et XVIII siècles,* Angers, 1957 p. 27-28.

3. *Mémoire du petit-fils,* cf. *supra,* Chapitre III, n. 5.

4. *Véritables motifs,* p. 15.

5. *Véritables motifs,* p. 25.

6. *Relations de ce qui s'est passé en la Nouvelle-France en l'année 1642,* Paris, Sébastien Cramoisy, 1643, p. 129-131.

7. *Annales de Moulins, Positio, Recueil Annexe,* p. 361.

8. Cf. *supra,* Chapitre V, n.5.

Le Château du Fouquet de la Varenne, à La Flèche

Chapitre XI

LE DEVOIR D'ÉTAT

Un Hôtel-Dieu rénové à pourvoir, une communauté d'Hospitalières à seconder, une colonie outre-Atlantique à soutenir, deux «séminaires» à y fonder, un nouvel Hôtel-Dieu à y créer, des villages indiens à susciter, des bailleurs de fonds à trouver, un immense projet missionnaire! Que devenait, dans ce tourbillon, les humbles devoirs de famille à La Flèche et les fonctions publiques si difficiles que M. de la Dauversière avait à remplir? N'avait-il pas vu trop grand? Aurait-il du temps pour tout mener de front?

En 1641, l'aîné des fils n'est pas encore majeur (il a dix-neuf ans, s'il est né en 1622, un peu plus s'il est né d'un premier mariage); Ignace n'en a que seize; Jeanne vient de s'agréger à la communauté des Filles de Saint-Joseph à l'âge de treize ans; les autres sont des enfants : Marie-Angélique a onze ou douze ans; Joseph a tout juste quatre ans.

La vie quotidienne dans la petite ville de La Flèche n'est pas toujours de tout repos; on y trouve les Jésuites envahissants; ils prennent trop de place dans la vie locale; les luttes d'influence se manifestent au grand jour à l'occasion de la réception du cœur de Marie de Médicis le 12 avril 1643; on le sait par le *Récit véritable de ce qui s'est passé en la ville et Collège de La Flèche à la réception du cœur de Marie de Médicis, mère du Roy*[1], et d'autres comptes-rendus parallèles; cela commença à la porte de la chapelle où l'on a fait attendre trop longtemps ces messieurs de la Mairie; le Maire «s'emporta à crier par plusieurs fois qu'il se plaindrait au Roi, présentant les poings au visage du P. Recteur.»

Au nord-ouest de La Flèche, la petite église Saint-Barthélemy, sise proche le grand cimetière de Saint-Thomas de cette ville, est en piteux état; elle «est tellement en ruines que s'il n'y est promptement remédié, elle est en danger de tomber en bref et ne pouvoir en aucune façon réparer»[2]; c'est ce qu'affirme un état des lieux. Les Jésuites vont s'y employer et en faire le sanctuaire des quatre Congrégations de la Sainte Vierge du Collège.

Avec la permission du prieur de Saint-Thomas, ils agrandirent la chapelle, y ajoutant l'abside et les deux chapelles latérales, recouvrirent la nef d'un lambris peint, ornée d'inscriptions latines qui forment une sorte de grande litanie de Notre-Dame. Dans les deux chapelles latérales, ils placèrent deux beaux petits groupes en terre cuite, l'un représentant l'Adoration des Mages, l'autre la Mise au tombeau.

L'ancienne église Saint-Barthélemy devint ainsi le lieu de pèlerinage favori des élèves et des anciens élèves, sous le titre de Notre-Dame des Vertus; on ne connaît pas la date exacte de la transformation; elle prit place, semble-t-il, un peu après 1644.

Pendant ce temps, le frère de M. de la Dauversière, René Le Royer, s'employait activement à aider les Visitandines qui s'installaient à La Flèche (1646).

«Notre Mère (du Puy du Fou), lit-on dans leurs *Annales*, trouva en la personne de M. Le Royer de Boistaillé la véritable protection d'un parfait ami. Il s'employa à l'achat d'une place pour notre emplacement, de plusieurs particuliers, qu'il acquit en son nom, tant pour avoir meilleur marché que pour éviter l'embarras.»[3]

Trois de ses filles entrèrent au monastère : Marie-Aimée, Marie-Françoise et une autre dont nous ne savons pas le nom. En 1649, Marie-Angélique, la fille de Jérôme et une cousine vinrent y rejoindre leurs parents, créant un lieu de plus entre le monastère et la famille.

En 1650, Jérôme, le fils aîné, achète de M. René de Moré l'importante charge de lieutenant-général en la sénéchaussée et siège présidial de La Flèche. Le 9 décembre 1654 il fut en mesure, grâce à une aide paternelle de payer la moitié de la somme qui restait due; il venait d'épouser Louise Brochard des Bourdaines; le contrat est du 17 juillet[4].

Ce fils qui devait continuer la lignée, garda un souvenir religieux de son père; il conserva quelques papiers précieux pour la connaissance de M. de la Dauversière et les transmit à son fils. Ignace entra dans les ordres; le 9 décembre 1648, M. de la Dauversière et sa femme constituent pour lui une rente viagère de 300 livres hypothéquée sur leur fief de Chantepie, afin de lui donner un titre patrimonial qui lui permette de recevoir l'ordination. Il devait devenir curé de Bazouges-sur-Loir après 1652 et mourir, jeune, six mois après son père, le 7 mai 1660.

Il est possible de reconstituer les étapes de la vie religieuse de Jeanne, l'Hospitalière, qui exerça des fonctions importantes dans la Congrégation. Pour Marie-Angélique, la lettre mortuaire envoyée aux autres monastères de la Visitation après son décès survenu le 14 avril 1687, fournit de nombreux détails sur sa vie dans le monde et au monastère, et sur sa famille.

Joseph qui devait mourir curé de Bazouges le 2 mai 1692, a eu droit également à une courte notice dans le recueil de Joseph Grandet sur les *Saints Prêtres français*; c'était le filleul du baron de Fancamp et tout porte à croire qu'ils sont restés en relation assez étroite après la mort de M. de la Dauversière en 1659. Selon le *Mémoire* du petit-fils, Jérôme avait «prédit que Joseph son fils serait ecclésiastique, quoi qu'il en fût en ce temps-là fort éloigné»[5]; il avait en effet vingt-deux ans à la mort de son père; selon Grandet, il «avait passé sa jeunesse dans le grand monde et dans les affaires où il réussissait avec un applaudissement universel». A Bazouges qu'il gouverna pendant trente-deux ans, il fut un curé modèle et réunit une communauté de quatre ou cinq prêtres, formant une sorte de séminaire et observant les mêmes règlements qu'à Saint-Sulpice.

Le manuscrit 2435 de la *Bibliothèque Mazarine* à Paris qui contient le résumé de l'histoire de la fondation des divers monastères de la Visitation a consacré quelques pages au monastère de La Flèche où vivaient les filles de René Le Royer, la fille de Jérôme et une autre nièce, Renée-Pacifique dont M. de la Dauversière avait payé la dot en même temps que celle de sa fille.

Le récit parle des journées tragiques de la Fronde angevine en 1652, au cours de laquelle la ville de La Flèche fut menacée par les troupes; comme le monastère de la Visitation se trouvait hors les murs, il était très exposé.

«Cette maison, étant située tout à l'entrée d'un faubourg, sans aucun appui ni défense, était exposée au pillage... Les Révérends Pères Jésuites persuadèrent si bien (la supérieure) que, déférant entièrement à leurs sentiments, on accepta l'offre obligeante que M. Le Royer, sieur de la Dauversière, avait honnêtement faite de sa maison comme l'asile le plus assuré qu'on eût pu trouver... On alla dans un fort bel ordre, deux à deux, ayant le voile baissé, accompagnées des dames et demoiselles les plus considérables et les plus apparentées de la ville, qui conduisaient nos sœurs du petit habit... Nous fûmes reçus dans cette sainte maison avec beaucoup de révérence et d'honneur. L'on y observa la règle avec la même exactitude et régularité que si on avait été dans le monastère...entendant la Messe tous les jours; et comme c'était justement au temps du Carême, les Révérends Pères Jésuites qui ont toujours été les protecteurs de la communauté, avaient la bonté de nous y venir faire le sermon, que les dames, parentes et amies de nos sœurs, venaient entendre, comme les beaux et dévots entretiens que le très pieux et savant M. de la Dauversière y faisait...»[7]

En effet, si la paix extérieure du Royaume est acquise provisoirement grâce à la signature des traités de Westphalie le 24 octobre 1648, à la suite d'interminables négociations qui réorganisent l'Europe germanique et assurent à la France plus de sécurité à l'Est, le pays entre à nouveau dans une zone de turbulences internes (ce qu'on a appelé la Fronde) pour cinq années, 1648-1653, tandis que se poursuit la guerre avec l'Espagne jusqu'à la mort de Jérôme Le Royer, en 1659 (Traité des Pyrénées).

Ce sont les troubles civils qui ont contraint les Visitandines à chercher refuge derrière les murailles, assez peu impressionnantes, de la ville, chez M. de la Dauversière.

Durant le temps de la Fronde, avec ses rémissions, le gouvernement du pays est assez chaotique; il ne peut fonctionner régulièrement et la perception des impôts en subit le contre-coup;

il faut fournir des sommes de plus en plus importantes : les revenus des tailles diminuent tandis que se multiplient les deniers extraordinaires. Les tailles des pays d'Elections oscillent entre 17 et 23 millions entre 1647 et 1652, mais elles remontent ensuite aux taux précédents de 30-36 millions, atteignant même 38 millions en 1655[8].

Une diminution de la taille signifiait pour M. de la Dauversière une baisse de son revenu, puisqu'il recevait un pourcentage sur la taxe; mais une augmentation n'avait pas nécessairement les effets inverses : car les rentrées devenaient beaucoup plus difficiles et lentes et il fallait avancer les sommes non-perçues à la trésorerie royale.

On fit grief plus tard à M. de la Dauversière d'avoir été «partisan»[9]; on nommait partisan un financier qui s'occupait non pas de l'impôt régulier, mais des affaires extraordinaires pour lesquelles la couronne devait à tout prix trouver de nouvelles sources de revenus. Jérôme s'occupa en effet d'autres taxes que la taille, en particulier le droit d'amortissement, qui était une redevance spéciale due par les associations et les communautés (en particulier les communautés religieuses lorsqu'elles acquéraient quelque immeuble qui, ensuite, ne changerait plus de mains et échapperait aux droits de succession). L'opinion publique n'était pas tendre pour les «partisans»; la Bruyère les a impitoyablement épinglés dans les *Caractères*.

Dans le cas de M. de la Dauversière, si la perception des droits d'amortissement améliorait ses revenus personnels, il obtint par déclaration royale que ces droits soient incorporés à sa charge de receveur des tailles; de ce fait, il les soustrayait à l'arbitraire des partisans et pouvait rendre ainsi service aux communautés religieuses qui ne risquaient plus d'être écrasées par les exigences de publicains sans scrupules, et exploitées sans vergogne. Car le droit pesait surtout sur les communautés nouvellement installées qui avaient besoin d'acheter de biens-fonds pour s'établir, non sur les Ordres anciens dont les transactions immobilières étaient rares.

A la fin de sa vie, dans les années qui ont suivi la Fronde, la taille était trop élevée en Anjou; les contribuables avaient toutes les peines du monde à payer les sommes exigées; Colbert de

Croissy l'a reconnu dans son *Rapport au Roi sur l'Election de La Flèche* en 1664; il écrit:

> «Cette Election a été notablement déchargée les années précédentes (c'est-à-dire en 1662-1663); elle se remettra encore avec un peu de diminution (de la taille); son fonds est partie bon, partie médiocre... Elle porte par feu 8, 9, 10, 15 et 20 livres...»[10]

Mais M. de la Dauversière n'a pas connu l'époque où l'on consentait ces diminutions; il est mort quelques années trop tôt; de son vivant, les temps étaient durs; Mazarin n'avait aucune compétence financière et sa politique s'en ressentait.

Jérôme fit partie du conseil de ville de La Flèche; en janvier 1650, les électeurs pensèrent à lui pour succéder à Pierre Jouye qui sortait de charge et n'était pas, en principe, rééligible selon les ordonnances royales; le maire resta néanmoins en place; Jérôme avait suffisamment à faire par ailleurs.

Dans les papiers de famille, analysés par sœur Gaudin au XIX siècle et détruits aujourd'hui, on trouve quelques indications précieuses. Le 21 avril 1649, par exemple, M. de Lestang, docteur en médecine à La Flèche ne consent à signer l'acte qui assure 6.000 livres au régiment de Picardie qu'au cas où il serait signé également par deux cents personnes solvables, solidaires l'une de l'autre; il en allait ainsi pour toutes les levées extraordinaires ou contributions de guerre.

Mais il y a plusieurs traits plus spécifiques. Ainsi le 11 janvier 1650, Jérôme Le Royer s'engage à payer l'apprentissage du jeune Gadois chez un armurier de La Flèche; le garçon s'engagera pour Montréal avec la recrue de 1653, mais ne se présentera pas à l'embarquement.

Durant l'une de ses nombreuses absences, sa femme, Jeanne de Baugé, promet en son nom à Julien Patais, tailleur d'habits, et à sa femme, Léonarde Bourguelet, de Durtal, de leur payer l'apprentissage d'une orpheline, Françoise Panier (12 août 1650)[11].

L'on peut terminer cette énumération par la mention de quelques événements de la vie locale qui ont intéressé directement la vie de la famille Le Royer. En 1648 l'on refit la flèche de l'église Saint-Thomas; elle s'élevait à 80 pieds au dessus du clocher; la pointe de l'aiguille, taillée à jour fut revêtue de plomb par les soins du procureur de la fabrique, M. de la Réténuère; le travail coûta 465 livres. M. de la Réténuère, n'est autre que Jacques Jouye, un parent du maire.

En 1650 est créée à Saint-Thomas la *Confrérie de la Bonne Mort* sous le titre de *Notre-Dame des Agonisants*, pour accompagner le Saint-Sacrement porté aux malades.[12]

Deux ans plus tard, en 1652, l'ami et collaborateur de Richelieu, Abel Servien, fait l'acquisition du marquisat de Sablé. Le marquis du Guesclin, seigneur de Beaucé en Solesmes, écrit dans ses *Mémoires* : «Abel Servien baron de Meudon et de Châteauneuf, senéchal d'Anjou…surintendant des finances était un grand ministre; il mourut à Meudon, le 19 février 1659, âgé de 65 ans, 3 mois, 17 jours. Il est enterré avec sa femme dans l'église des Ardilliers (à Saumur)…»[13] Il n'est pas étonnant que le petit-fils, ayant à parler de Meudon et de la rencontre de son grand-père avec Olier en 1635, ait tout de suite pensé à Servien, M. de Châteauneuf, commettant ainsi un léger anachronisme.

Il est intéressant aussi de noter qu'en 1656, Roger du Plessis, marquis de Liancourt et duc de la Roche-Guyon, l'un des membres éminents de la *Société de Notre-Dame de Montréal*, hérita de Durtal du fait de sa femme, Jeanne de Schomberg[14]; supérieur de la *Compagnie du Saint-Sacrement* en 1648, puis en 1650, il devint marguillier en charge de la paroisse Saint-Sulpice à Paris en 1651; M. Olier et Saint Vincent de Paul l'avaient en grande affection; mais en 1656, il était passé au parti janséniste et les relations en souffraient.

Cette même année, le 21 février, mourait le marquis de la Varenne, qui laissait le marquisat de La Flèche à son fils René II. Colbert de Croissy est très sévère pour ce fils dans son *Rapport au Roi* de 1664 : «Le lieutenant du Roi, le sieur marquis de la Varenne, dont le grand-père a été considéré de feu Henry Le Grand, est engagiste du domaine… Il est dans la réputation de n'avoir pas beaucoup de jugement, de bonne conduite ni de religion. Son frère a été assassiné depuis peu par les gardes-bois de madame la comtesse du Lude; il était fort violent…»[15]

Or, en janvier 1651, le futur gouverneur de La Flèche avait eu une violente confrontation avec la famille Le Royer et en gardait une rancune tenace. En ce temps-là il poursuivait de ses assiduités une prostituée que Jérôme Le Royer, lieutenant-général du présidial, le fils de M. de la Dauversière, avait fait mettre en prison, et une jeune fille, Catherine Vallier, à qui M. de la Dauversière avait donné asile chez lui. René de la Varenne se présenta, armé, le soir, à la porte de la maison et voulut agir par force pour faire libérer la femme et obtenir qu'on lui rende la fille. On possède encore la copie du procès-verbal dressé le 19 janvier 1651 par le lieutenant-général[16]; la scène est assez impressionnante :

> «Ledit sieur de la Dauversière, notre père, demanda audit sieur baron qui tenait toujours son pistolet dans la main cachée sous sa casaque, s'il ne voulait pas voir une fille qui était venue cette après-dîner dans sa maison. A quoi, dit que oui, mais qu'il n'avait que faire de toutes les autres et qu'il ne voulait point tant de flambeaux.

> «A quoi ledit sieur de la Dauversière répliqua que c'était l'ordinaire de la maison d'allumer plusieurs flambeaux quand il faisait nuit et que l'on n'y faisait rien qui ne fût vu de tout le monde, ce qui l'avait obligé de lui faire venir toutes les filles de maison, parce qu'on ne parlait point céant aux filles en particulier.

> «Sur quoi ledit sieur baron réitéra comme dessus ses blasphèmes et lui dit: Mort-Dieu, vous faites le mutin! Tête-Dieu, je vous aurai! Ce n'est pas d'aujourd'hui que vous vous opposez à mes desseins, mais je vous saurai bien réduire à la raison!

> «Et ayant demandé laquelle c'était de ces filles que nous aurions amenée dans notre maison, et lui ayant montré, il dit que c'était une belle fille et ajouta plusieurs paroles dissolues et déshonnêtes, après quoi il se retira comme il était, entresuivi dudit valet portant une lanterne sourde.

> «Et sortant de notre maison, dit ledit sieur baron que nous le voulions jouer, mais, Mort-Dieu, qu'il nous aurait!»

Il valait la peine de citer longuement ce procès-verbal; beaucoup des difficultés que M. de la Dauversière connut à La

Flèche après 1656 viennent de cette source. Le nouveau marquis de La Flèche n'avait pas pardonné à la famille, à M. de la Dauversière en particulier, de s'être mis si souvent en travers de son libertinage. Maintenant qu'il était investi du pouvoir, il allait «les avoir».

Avant de clore ce chapitre, il n'est pas hors de propos de mentionner la parution au Mans, en 1654 d'un *Manuel pour la visite des malades*, composé par Gervais Alton, curé de Coulongé à une vingtaine de kilomètres de La Flèche; dans l'*Avertissement au lecteur*, l'auteur qui devait mourir en 1655, écrit : «Je t'assure que (ce livre), est utile et comme nécessaire à toute sorte de personnes. De quelque condition que tu sois, tu y apprendras à prier Dieu avec l'Eglise romaine dont tu es enfant; comme pour la plus part, il est français, tu y apprendras à assister les infirmes et les agonisants qui est une des principales parties de la charité chrétienne; étant mortel, comme tu n'en peux douter, tu t'instruiras à l'exemple des autres à bien mourir, qui est tout fuit de la vie...»

Nul doute que M. de la Dauversière n'ait aussitôt mis ce livre entre les mains des Filles de Saint-Joseph dont la tâche spécifique était d'assister chrétiennement les malades; il rejoignait trop exactement l'intention des *Constitutions*:

> «Autant que le salut de l'âme est plus important que la santé du corps, d'autant plus volontiers les Filles doivent adresser leurs intentions, travaux et charités à ce que les âmes soient aidées pieusement et à propos pour leur salut...»(chapitre XX).

1. *Récit véritable de ce qui s'est passé en la ville et Collège de La Flèche à la réception du cœur de Marie de Médicis, mère du Roy*, 12 avril 1643, cf. P. Calendini, «Quelques épisodes de la vie fléchoise au XVIIe siècle», dans *Annales fléchoises*, t. X, 1909, p. 91-92.

2. P. Calendini, «Les sanctuaires de la Sainte-Vierge dans la vallée du Loir, A La Flèche, Notre-Dame des Vertus», dans *Annales fléchoises*, t. I, 1903, p. 332-388, voir p. 345-346.

3. *Histoire de la fondation du monastère de la Visitation Saint-Marie de La Flèche*, Paris, Bibliothèque Mazarine, ms. 2435, f 735-738; cf. Fr. Uzureau, dans *Annales fléchoises*, t. VII, 1906, p. 222.

4. *Inventaire et extraits des papiers de famille.*

5. *Mémoire du petit-fils*, cf. *supra*, Chapitre III, n.5.

6. Cf. *supra* Chapitre II, n. 14.

7. Cf. *supra* n.3, dans *Annales fléchoises*, t.I, 1903, p. 345-346.

8. Richard Bonney, *The King's Debts, Finance and Politics in France, 1589-1661*, Oxford, Clarendon Press, 1981, p. 311-312.

9. *Journal du Palais ou Recueil des principales décisions de tous les Parlements et Cours souveraines de France*, Cl. Blondeau et G. Guéret, 2 éd., A Paris, M. Guignard et Cl. Robustel, 1713, p. 6-7 : Paris, 24 mars 1662, jugement concernant Jérôme Le Royer (Il renvoie au *Journal des Audiences* in-folio, t. II, mais ce tome est absent à la Bibliothèque de l'Abbaye de Solesmes et je n'ai pu le consulter). L.Calendini a reproduit le texte du *Journal du Palais*, dans l'article «La succession de M. Le Royer de la Dauversière», *La Province du Maine*, t. 30, 1950, p. 80-86.

10. Charles Colbert de Croissy, *Rapport au Roy en 1664*, dans P. Marchegay, *Archives d'Anjou...* t.I, Angers, 1843, p. 154.

11. *Inventaire et extraits des papiers de famille.*

12. La Flèche, *Archives de la Fabrique de Saint-Thomas, Registre* ayant échappé aux destructions de 1793; cf. *Notre-Dame de*

France, ou Histoire du culte de la Sainte-Vierge en France par M. le curé de Saint-Sulpice, Paris, Plon, 1864, t. IV, p. 382.

13. *Mémoires généalogiques sur les familles des environs de Sablé, vers 1715,* par René III du Guesclin, seigneur de Beaucé en Solesmes, collection privée, manuscrit, photocopie à la *Bibliothèque de Solesmes,* p. 28.

14. Dr Buquin,»Aperçu historique sur le château de Durtal», dans *Annales fléchoises,* t.III, 1904, p. 20.

15. Colbert de Croissy, *Rapport au Roi,* dans P. Marchegay, *Archives d'Anjou...,* t.I, p. 128.

16. *Procès-verbal dressé par Jérôme Le Royer,* 19 janvier 1651, *Archives des Hospitalières de La Flèche,* sans cote, copie.

Le couvent des Carmes (État actuel)

Chapitre XII

LES FILLES DE SAINT JOSEPH DE LA FLÈCHE

Lors d'une séance du Conseil des Dames de Charité tenue à Paris le 8 avril 1655 sur la nécessité de laisser les Filles de la Charité à l'Hôtel-Dieu de Nantes, Saint Vincent de Paul fit valoir plusieurs raisons :

> «La seconde, disait-il, c'est que l'on dira partout que les Filles de la Charité ont quitté ce lieu. Ces Messieurs demanderont peut-être des Filles de M. de la Dauversière ou de Rennes, et ainsi cela s'épandra partout et chacun en parlera selon son sentiment...»[1].

Rien ne montre mieux le rayonnement des Filles de Saint-Joseph de La Flèche, onze ans après leur approbation canonique. En 1655, elles sont déjà présentes à Baugé, à Laval et à Moulins; on les demande à Château-Gontier. Les premières tractations en vue de fondations nouvelles datent de 1647, quatre ans après que M. Syette ait reçu les premières professions, au nom de Mgr de Rueil, évêque d'Angers.

Le premier appel est venu de Laval, provoqué par un ami de longue date que l'on est heureux de retrouver, M. Troussard. Il est plus évocateur de lire d'abord ses souvenirs :

> «En 1647, dit-il, ceux qui hantaient l'Hôpital reconnurent qu'il s'en allait en ruine pour le mauvais ordre de quatorze personnes à gages qui le ruinaient, et qu'il s'était fait dépense la même année de 15.000 livres; ce qui obligea la ville, leur en ayant donné l'avis, de penser à un établissement et de traiter avec les filles de Dieppe : contrat prêt à signer, qui joignent leur mense et dots avec le bien des pauvres, où beaucoup trouvaient de la difficulté.

«Et sur lequel différent, qui était en 1647, la pensée me vînt, où jamais je n'avais jamais pensé! de dire à Messieurs que j'avais connaissance et avais vu établir des Filles à l'Hôtel-Dieu de La Flèche qui étaient hospitalières achevées, et qui l'entendaient de miracle, que l'on pouvait avoir.

«Sur laquelle proposition tout fut arrêté, et fus prié d'en écrire à ceux qu'il fallait, qui était M. de la Dauversière; qui ouvrit les yeux à cette demande, vu qu'il n'avait jamais pensé que sa congrégation fût pour d'autres que pour La Flèche, ce qu'il me fit voir par sa lettre, et que, puisque cela se présentait pour la gloire de Dieu, qu'il accordait la demande et qu'il donnerait six filles, très bons sujets.

«Ayant donc reçu cette réponse, je la porte à nos Messieurs qui me disent que ce nétait pas assez et qu'il fallait qu'il vînt. Je lui récris. Le voilà venu à Laval où jamais il n'avait été...»[2]

Jérôme Le Royer n'était sans doute pas fâché d'avoir cette seconde occasion de venir à Laval, car le 22 octobre 1644, il avait reçu un ordre de mission des confrères de la Compagnie du Saint-Sacrement pour venir établir un groupe dans la ville [3]; il y était donc allé une première fois en 1645, mais discrètement et à l'insu de M. Troussard.

«Toute la ville s'assembla chez le maire, poursuit celui-ci, où fût fait le contrat tel qu'il est sur votre maison des Lices, après avoir vu l'ancien Hôpital et d'autres places non-commodes.

«Dans quelque temps après il vint de bonne rencontre une petite demoiselle me demander d'être à confesse, nommée Lézine Bérault (sa correspondante), que je reçus d'aussi grand cœur qu'elle était venue. Laquelle me témoigna et me fit connaître en elle un cœur grandement docile, rempli d'un grand zèle de se donner à Dieu dans la vocation qui lui serait plus agréable, et particulièrement au service des pauvres. Sur le dessein proposé que je lui dis, ce zèle s'augmenta de plus en plus jusqu'au désir d'aller à La Flèche avec sœur Hérault pour faire leur noviciat, tandis que l'on travaillait de mettre la maison en état.

«La maison y étant, M. Arnoul et moi fûmes députés d'aller à La Flèche requérir les huit filles qui arrivèrent le 1er décembre 1650, lesquelles furent bien reçues et établies en toutes les formes, mais Dieu sait (comme était son affaire) les traverses, les oppositions et les souffrances qu'il leur fallut passer sans que cela empêchât l'heureux succès de la maisons dans une grande union et augmentation de filles...»[4]

Le traité officiel avec la Ville est daté du 16 juin 1648[5]; promesse avait été faite de reconstruire l'Hôtel-Dieu sur les Lices de la ville et de bâtir une maison attenante pour les Hospitalières. Ce qu'omet de dire M. Troussard qui raconte surtout la part qu'il a prise dans les tractations, c'est que M. de la Dauversière avait fait connaissance à La Flèche du P. Charles de Cossé-Brissac, d'une grande famille angevine, dont le frère Louis, seigneur de Vauthorte et président du Parlement de Bretagne, s'était proposé comme fondateur de la communauté de Laval; c'est lui qui finança la construction de la maison des sœurs[6].

Les travaux étaient à peu près terminés au milieu de septembre 1650; un décret de Mgr Philibert-Emmanuel de Beaumanoir-Lavardin, évêque du Mans, en date du 22 septembre, autorisa l'établissement dans son diocèse :

«Nous...louons, et approuvons et consentons ledit établissement des Filles Hospitalières de Saint-Joseph à l'Hôpital Hôtel-Dieu de Laval, pour y gouverner les pauvres malades, faire les autres fonctions sous notre visitation, correction et discipline de nos successeurs évêques, conformément à leurs constitutions...»[7]

De son côté, l'évêque d'Angers donna obédience aux sœurs destinées à la fondation, puisqu'elles dépendaient de lui (20 novembre 1650), fixant la durée de leur séjour à trois années [8]; les sœurs désignées étaient Anne Aubert de Cleraunay, supérieure, Marie Maillet, Catherine Macé, Judith Moreau de Brésoles, Marie Houzé, Marie Renard de la Groie; les deux postulantes envoyées par M. Troussard avaient prononcé leurs premiers vœux la première le 29 juin 1650, la seconde un mois plus tard, le 26 juillet [9].

M. Troussard était un ancien élève des Jésuites qui avait fréquenté la maison de M. de la Dauversière au moment de la première fondation des Filles de Saint-Joseph. Pour la fondation de Moulins, c'est encore un élève des Jésuites qui intervient. Gabriel Girault, fils d'un riche marchand de Moulins était venu faire sa théologie à La Flèche; il allait souvent à l'Hôtel-Dieu servir les malades et il avait ainsi appris à connaître et à apprécier les nouvelles Hospitalières et leur fondateur.

Aîné de la famille, il s'était décidé tardivement à prendre les ordres; il avait vingt-cinq ans quand il vint en Anjou. Ce qu'il vit à l'Hôtel-Dieu lui donna le désir d'avoir l'équivalent à Moulins; il y avait bien l'Hospice dirigé par les Frères de Saint-Jean de Dieu depuis 1620, mais il était destiné aux seuls hommes; il n'y avait pas de vraie maison pour les femmes.

Selon le P. Griffet, il «crut ne pouvoir mieux faire que de communiquer son dessein à M. Le Royer qu'il savait être l'instituteur de leur Congrégation. Il avait déjà eu avec lui quelques entretiens dans la salle des pauvres et il avait compris que sa confiance ne pouvait être mieux placée... Ils eurent ensemble sur ce sujet plusieurs conférences qui déterminèrent M. Girault à prendre la résolution de s'en expliquer à Moulins avec ses amis, de suivre constamment cette affaire et de ne rien épargner pour surmonter les obstacles qu'il prévoyait devoir s'y rencontrer[10].»

Dès qu'il fut rentré à Moulins, il travailla en effet à la réalisation de ce projet qui lui tenait à cœur; la position de sa famille lui permettait d'avoir l'oreille des magistrats et des notables, il rencontra des réticences, mais aussi des encouragements, et il obtint qu'on écrivit à La Flèche; lui-même écrivit de son côté pour faire connaître le détail de ses démarches. Cette correspondance est malheureusement perdue.

Mère Péret cite un texte dont elle a eu connaissance, peut-être dans une lettre écrite de Moulins par M. de la Dauversière à Marie de la Ferre, alors supérieure à La Flèche, lors du premier voyage qu'il fit pour se rendre compte sur place des possibilités d'une fondation; la lettre avait été conservée ensuite dans les papiers personnels de la co-fondatrice : «Dieu nous a donné, ma Mère, depuis quelque temps une parfaite connaissance de sa très Sainte

Volonté touchant cet établissement; suivons-la et abandonnons-nous à son aimable conduite; il y aura de grandes difficultés à vaincre, mais nous les surmonterons avec sa grâce[11].»

L'on possède un *Mémoire* de la main de M. de la Dauversière, en date du 24 février 1648, qui est un projet de contrat de fondation [12]; mais auparavant, la proposition de Moulins avait été communiquée à l'évêque d'Angers; le P. Griffet résume la réponse que celui-ci fit; il avait la lettre sous les yeux :

> «Dans sa réponse, il rappelait aux Hospitalières la grâce que Dieu leur avait faite de les avoir choisies pour former une institution si sainte et si utile au public. Il leur fit remarquer que, puisque Dieu voulait les multiplier, c'est qu'il agréait leurs travaux; que cette fondation qu'on leur proposait était une nouvelle grâce qui exigeait une nouvelle reconnaissance de leur part, et qu'enfin elles ne pouvaient répondre à la Bonté de Dieu envers elles que par une fidélité inviolable à garder leurs saints engagements. Il finissait sa lettre par leur promettre toute sa protection pour faire réussir la fondation qu'elles allaient entreprendre et qu'il les assurait qu'il avait une affection paternelle pour une congrégation qu'il voyait être favorisée du Seigneur, et qu'il regardait comme étant en partie son ouvrage[13].»

A la suite de quoi Jérôme Le Royer fit le voyage de Moulins avec une procuration des Hospitalières pour passer le contrat de fondation «aux clauses et conditions qu'il jugerait à propos».

Le voyage se fit à l'automne 1648; la procuration est du 18 septembre; grâce à M. Girault il fut bien accueilli; mais, comme ailleurs en ce milieu du XVIIe siècle, la ville se montrait réticente à accueillir de nouvelles communautés en plus des anciennes ou d'autres récemment fondées, dont les enclos étaient déjà très vastes au sein du périmètre urbain. Les objections ne manquaient pas. Ce fut la duchesse de Montmorency, retirée à la Visitation depuis l'exécution de son mari, décapité à Toulouse en 1632, qui les fit tomber. Elle jouissait d'une grande influence, étant la tante du prince de Conti.

Puisque les fonds manquaient et que l'on faisait des difficultés à cause des dépenses nécessaires à l'aménagement de l'Hôtel-Dieu, elle donna elle-même tout de suite 3.000 livres pour la construction d'une chapelle, d'une sacristie, d'une salle des malades, d'offices, selon le plan dressé par un architecte de Moulins. Quant à la partie réservée à la communauté, il fut décidé que les Filles de Saint-Joseph se pourvoiraient elle-mêmes, par le moyen de donations.

L'on ferait venir de La Flèche quatre hospitalières, qui apporteraient avec elle ce qui était nécessaire pour leur subsistance et leur entretien. Le contrat fut signé le 2 octobre 1648 au parloir de la Visitation : la maison n'hospitaliserait que des femmes, à la différence de La Flèche où il y avait une salle pour les hommes et une salle pour les femmes; elle se chargerait en outre d'un orphelinat, comportant des pensionnaires trois à douze ans, alors qu'en Anjou, les sœurs s'occupaient seulement des malades[14].

Mais M. de la Dauversière obtint de la duchesse la modification d'une clause qui lui tenait à cœur; Marie-Félicie des Ursins désirait que la chapelle soit dédiée à l'Immaculée-Conception; Jérôme Le Royer insista pour que celle-ci soit placée sous le patronage de Saint-Joseph[15].

L'acte passé à Moulins fut ratifié à La Flèche par Marie de la Ferre et les Filles de Saint-Joseph le 24 février 1649[16] et l'évêque d'Autun, l'Ordinaire de Moulins, accorda son autorisation le 5 septembre 1649.

Dès ce moment la supérieure virtuellement désignée était Marie de la Ferre; elle allait terminer sous peu son second triennat à La Flèche et ne pouvait être tout de suite réélue.

En fait, le départ des fondatrices ne put se faire avant le 8 mai 1651, car on attendait l'expédition de lettres patentes royales pour la nouvelle maison et elles se firent désirer jusqu'en mars; le P. Griffet en donne l'analyse et il est intéressant de reproduire ici son texte :

«Le bon exemple et sainteté de vie que les Religieuses Hospitalières de La Flèche ont fait paraître par le service assidu qu'elles rendent aux pauvres, a excité la dévotion des maire et échevins et habitants de la ville de Moulins à désirer qu'elles eussent un établissement dans leur ville... ces mêmes Hospitalières (désirent) contribuer à l'accomplissement d'un si louable dessein, afin d'exercer de plus en plus leur charité et de soulager les pauvres autant qu'il leur sera possible...»[17]

Derrière les formules officielles on discerne les termes mêmes employés dans la requête, dont M. de la Dauversière a rédigé sans doute le brouillon.

La décision d'envoyer à Baugé quelques sœurs fut prises plus rapidement; l'enchaînement des circonstances est entièrement différent; tout s'est déroulé très vite.

L'on possède une longue source narrative dans la *Vie de Mademoiselle de Meleun*, écrite par Joseph Grandet en 1686 à la requête de Mgr Henry Arnauld, évêque d'Angers; mais elle ne suffit pas à elle seule et il est nécessaire de la compléter par le recours aux sources documentaires.

Vers 1639, Baugé, à vingt kilomètres au sud de La Flèche, n'avait pas encore d'établissement hospitalier digne de ce nom. Une âme de bonne volonté se proposa alors : Marthe de la Beausse, mais elle n'avait pas de moyens financiers personnels pour réaliser ce qu'elle désirait; elle se fit concéder cependant un terrain dans le faubourg du Champoiseau par l'assemblée générale des habitants, le 23 mars 1639, afin d'y «construire une maison publique pour retirer les pauvres malades et invalides de cette ville et faubourgs». Ceci fait, elle se mit à quêter sans grand résultat; les habitants pensaient que les dons individuels récoltés de cette manière ne mèneraient pas loin, et qu'il fallait de toute nécessité un fondateur qui consacre une partie de sa fortune dans l'entreprise.

En attendant cette éventualité, Marthe se fit céder par la ville les matériaux de l'ancienne église Saint-Laurent, probablement une ancienne maladrerie comme son titre semble l'indiquer; les ruines lui furent donc assignées le 26 mars 1643; elle fit également procéder à la nomination de trois administrateurs pour la future maison[18].

«Les choses étaient dans l'état que nous venons de dire, écrit Joseph Grandet... La chapelle était presque achevée, l'union du bénéfice de Saint-Michel y avait été faite; mais les murailles des salles n'étaient encore couvertes que de paille, lorsque Marthe qui méditait toujours de grands desseins vint à La Flèche vers le milieu de l'année 1650 pour visiter l'Hôpital de Saint-Joseph qu'on y avait bâti depuis peu...»[19].

La première pierre de la chapelle de l'établissement fut posée le 1 avril 1643, mais le chantier sommeilla, faute de ressources; l'obstination de Marthe de la Beausse triompha de tous les obstacles : en 1650, la chapelle était en voie d'achèvement et les salles des malades prenaient forme. Pour former le premier fonds de la maison, Marthe avait fait annexer l'ancienne Aumônerie Saint-Michel qui était à la présentation des habitants.

Elle voulut voir «le bâtiment et l'ameublement de cet Hôtel-Dieu, la situation et l'ornement de l'église», mais surtout le «règlement des Hospitalières et leur façon de gouverner les pauvres.»

Les Filles de Saint-Joseph venaient d'accueillir au noviciat sous le nom de sœur de la Haie une personne que leur avait envoyé un P. Jésuite et qui avait fait déjà un stage à la Visitation de Saumur; les sœurs ne la connaissaient pas autrement, mais M. de la Dauversière et Marie de la Ferre avaient dû être mis au courant de son identité, au moins sommairement; elle appartenait à une famille princière du Hainaut, et s'appelait en réalité Mademoiselle de Meleun : Anne, princesse D'Epinay, était née en 1618 au château d'Ubies, près de Mons; elle avait eu une vie très mondaine jusqu'à la mort de son père, puis désira se consacrer à la vie religieuse; elle était venue en Anjou à l'occasion d'un pèlerinage à Notre-Dame-des Ardilliers à Saumur.

Comme sa santé n'était pas suffisante pour mener la vie des Hospitalières, elle proposa de devenir la fondatrice du nouvel établissement, après avoir envoyé son frère à Baugé pour se rendre compte par lui-même des nécessités de l'Hôtel-Dieu et des conditions; le prince avait lui aussi adopté l'incognito et se faisait appeler M. de Baumé.

Elle fit donc savoir à Marthe de la Beausse «que son parent et elle, désirant depuis longtemps contribuer à l'établissement d'un Hôtel-Dieu en quelque lieu que ce fût, étaient ravis d'apprendre que Dieu lui avait inspiré d'en faire un à Baugé; qu'elle souhaitait seconder son zèle et avoir part à son mérite, l'assurant qu'elle procurerait dans la suite de si grands avantages aux pauvres de son Hôpital que les habitants et elle auraient sujet d'en être satisfaits».

Le dossier concernant l'établissement de la maison de Baugé est plus riche que pour les autres maisons; l'on possède encore dix-huit pièces conservées aux *Archives départementales de la Sarthe* (contre cinq pour Laval, sept pour Moulins et quatre pour Montréal)[20].

Le contrat avec la ville fut passé le 25 avril 1650; M. de la Dauversière y représente les Filles de Saint-Joseph. Un décret de Henri Arnauld, nouvel évêque d'Angers, approuve le 19 novembre 1650 l'union du bénéfice de Saint-Michel à l'Hôtel-Dieu de Baugé et l'établissement des Filles de Saint-Joseph; le lendemain il accorde des lettres d'obédience aux sœurs Renée Le Jumeau, Françoise Pilon, Renée Le Gras et à la fameuse Anne de la Haie.

Les autres lettres d'obédience pour les deux fondations de Laval et de Moulins ont été données le même jour. En fait, la princesse d'Epinay avait précédé ses compagnes; elle était arrivée à Baugé le 10 août 1650 en compagnie de son frère pour activer les travaux. Les trois religieuses vinrent la rejoindre le 25 novembre et les lettres patentes royales arrivèrent le 26 mars 1651.

M. de la Dauversière s'occupa très activement de la nouvelle fondation qui se trouvait dans le voisinage immédiat de La Flèche; son écriture se reconnaît dans les premiers registres.

Une autre fondation fut envisagée en 1655 à Château-Gontier, en Anjou également; l'Hôpital avait été pris en charge en 1508 par les Tertiaires franciscaines, mais il avait été entièrement détruit durant le siège de la ville en 1593 et les religieuses avaient quitté le faubourg où il se trouvait, pour aller s'établir au Buron assez loin de là; il leur était impossible d'administrer l'Hôtel-Dieu; aussi la ville reprit-elle tous ses droits en 1613, reconstruisit les bâtiments de 1619 à 1623, puis fit assurer le service par des servantes à gages, dirigées par une «gouvernante des pauvres».

L'initiative d'un contrat avec M. de la Dauversière et les Hospitalières de La Flèche, signé le 23 juillet 1655, est due, semble-t-il, à la marquise de Château-Gontier, femme de Nicolas de Bailleul, surintendant des finances avec Claude de Mesmes, comte d'Avaux, de 1643 à 1647. La marquise, en tant que fondatrice de l'Hôpital du fait du marquisat de Château-Gontier, promettait, sous le bon plaisir de l'évêque d'Angers, de «recevoir audit Hôtel-Dieu quatre ou cinq filles hospitalières de Saint-Joseph avec celles qu'elles recevront ci-après en leur communauté de cette ville, y traiter et gouverner les pauvres malades et faire leurs autres fonctions suivant leur institut et les vœux qu'elles en font». (21)

On ne sait pas exactement pourquoi ce contrat ne fut pas suivi d'effet; peut-être est-ce l'évêque d'Angers qui trouva quelque défaut à l'accord et refusa de le ratifier. Dix-huit ans plus tard, en février 1673, un nouveau concordat fut passé entre la ville et les sœurs de l'Hôtel-Dieu de Vitré; les quatre premières religieuses vinrent s'installer le 19 février 1674.

Mais La Flèche se préparait à fonder à Montréal et un contrat fut signé le 31 mars 1656 à Paris avec les Associés de Montréal à cet effet.

C'est ce que l'on verra plus loin.

Notes — Chapitre XII

1. Saint Vincent de Paul, *Correspondance*, éd. P. Coste, t. XIII, *Documents*, Paris, Lecoffre-Gabalda, 1924, p. 688 : *compte-rendu du conseil du 8 avril 1655, document 167*, Sur la nécessité de laisser les Filles de la Charité à Nantes.

2. Cf. *supra*, Chapitre V. n. 7.

3. Laval, *Bibliothèque municipale*, fonds Couanier de Launay, 12 129, n 19 : Cahier manuscrit sur papier; on lit au dernier folio : «Fait et délivré à M. de la Dauversière pour servir à la Compagnie du Très Saint Sacrement qu'il prendra soin d'établir en la ville de Laval...ce 22 octobre 1644.»

4. Cf. n. 2.

5. *Contrat de fondation de la maison de Laval*, 20 juin 1648, *Archives des Hospitalières de Laval*, sans cote : *Procès-verbaux des vêtures et professions, 1648-1818*, f 1-8; on trouve copie collationnée du document dans les *Archives départementales de la Sarthe*, H. 1804.

6. *Annales de Laval, Archives des Hospitalières de Laval.*

7. *Archives départementales de la Sarthe*, H. 1804.

8. *Archives des Hospitalières de La Flèche;* les lettres d'obédience ont été données en ce jour aux sœurs destinées aux fondations de Baugé, Laval et Moulins; l'obédience pour Marie de la Ferre est transcrite dans les *Annales de Moulins.*

9. *Registre pour servir à écrire le jour des Réceptions des filles en la Communauté de l'Hôtel-Dieu de La Flèche*, original, *Archives des Hospitalières de La Flèche.*

10. *Les Annales ou Histoire de l'institution des Religieuses Hospitalières de Saint-Joseph* ont été rédigées à Moulins vers 1770 et elles sont attribuées au P. Griffet, Jésuite; ce sont elles qui ont été imprimées à Saumur après la Révolution chez A. Degouy, 1829; elles sont plus faciles à consulter puisqu'elles sont imprimées; c'est pour cela que nous les citons de préférence;

l'auteur a travaillé sur les archives de Moulins qu'il analyse; le passage cité ici se trouve p. 106-107.

11. Mère Péret, *Annales de Moulins*, t. II, p. 147; *Positio pour la béatification de M. de la Dauversière, Recueil annexe*, p. 378.

12. *Projet de contrat pour la fondation de Moulins*, 24 février 1648; minute originale de la main de M. de la Dauversière, *Archives départementales de la Sarthe*, H. 1805.

13. Griffet, *op. cit.*, p. 112-113.

14. *Articles relatifs à la fondation de Moulins accordés par la duchesse de Montmorency*, 2 octobre 1648, Copie de la main de Marie de la Ferre, *Archives départementales de la Sarthe*, H. 1805.

15. *Fondation de la chapelle par la duchesse de Montmorency*, 27 mai 1648, avec codicille du 8 octobre 1648; minute de l'original aux *Archives départementales de l'Allier*, H. 866.

16. *Ratification par les Hospitalières de La Flèche de l'accord*, 24 février 1649, minute de l'acte original copié et signé par Marie de la Ferre, *Archives départementales de la Sarthe*, H. 1805.

17. Griffet, p. 133-134.

18. Fr. Lebrun, *Les hommes et la mort en Anjou aux XVII et XVIII siècles*, Paris, Flammarion, 1975, p. 162-163 (pour la justification, on pourra se reporter à la thèse complète publiée en 1971 par le Centre de Recherches historiques et les Editions Mouton et Co, Paris-La Haye, 1971.

19. J. Grandet, *Vie de Mademoiselle de Meleun*, p. 169s.

20. *Archives départementales de la Sarthe*, H. 1806.

21. Contrat de fondation, *Archives des Hospitalières de La Flèche*, 1-1-BJ, original sur papier.

Le Port de la Rochelle

Chapitre XIII

L'ENTREPRISE PRÉCAIRE DE MONTRÉAL

Dans la *Relation des Jésuites* de 1642, le P. Vimont, après avoir cité les termes de la lettre reçue de M. de la Dauversière, avait ajouté en guise de commentaire :

«Ces Messieurs me permettront de leur dire en passant qu'on ne mène personne à Jésus-Christ que par la Croix, que les desseins qu'on entreprend pour sa gloire en ce pays, se conçoivent dedans les dépenses et les peines, se poursuivent dedans les contrariétés, s'achèvent dedans la patience et se couronnent dedans la gloire...»[1]

L'enthousiasme des premières heures l'inquiétait et il se demandait si l'on avait bien mesuré les difficultés de l'entreprise; l'ampleur du projet également le laissait rêveur.

Il n'était pas seul à penser ainsi; à Paris, il y avait aussi des réticences, au sein même du milieu dévot; ce sont elles qui ont porté M. Olier à répondre longuement aux objections soulevées dans la brochure de 1643. A Rome également, l'entreprise de Montréal apparaissait comme une belle flambée d'enthousiasme, sans lendemain, nouvelle manifestation de la *furia francese* qui va de l'avant sans réfléchir et se lasse vite, une fois le premier élan brisé; Olier en parle ainsi : «Quant à la légèreté et impatience que vous appréhendez (dans le dessein) comme une imperfection de la nation..., (ce) faible vous devrait faire moins d'envie que de pitié; et (vous devriez) joindre vos prières aux nôtres pour y trouver le remède, qui n'est pas, grâce à Dieu, si déploré que vous pensez et que, par exercice vertueux, nos imperfections naturelles ne puissent être corrigées»[2].

M. Olier était en effet entièrement gagné au projet depuis sa guérison et l'organisation du séminaire à Vaugirard. En ces années, il parle beaucoup et agit beaucoup pour le Canada. On en trouve continuellement la trace dans ses *Mémoires*. Le renouvellement de l'Eglise en France qui lui tient tant à cœur est lié pense-t-il à son dynamisme missionnaire en Nouvelle-France; telle est la nature du mystère caché en Dieu dont on a eu connaissance la mystique parisienne Marie Rousseau qu'il consulte si souvent et considère comme sa mère spirituelle :

> «On verra une chose miraculeuse et admirable en ce mystère, dont je parle, écrit-il en juin 1642, à savoir que maintenant il doit se faire deux choses dans l'Eglise, l'une qui est le renouvellement de l'Eglise, et l'autre l'établissement d'une Eglise nouvelle en Canada.[3]»

Les prêtres et les jeunes qu'il a réunis à Vaugirard et qu'il pense à rapprocher de l'église Saint-Sulpice, seront missionnaires en France et au-delà des mers:

> «O mon Tout, écrit-il dans sa prière, je vous rends mille actions de grâces pour les bons serviteurs que vous nous adressez. Je vous rends grâces de tout mon cœur des biens et des grandes grâces qu'il vous plaît leur départir tous les jours et des dispositions dans lesquelles vous les mettez pour vous servir partout : ils sont tout disposés d'aller en Canada et jusqu'aux pays les plus loin de la terre» (juillet 1642)[4].

C'est probablement par M. Olier que Jérôme Le Royer a fait la connaissance de Marie Rousseau; à l'instar de son ami, il la consulte lorsqu'il a l'occasion de venir à Paris pour les affaires de Montréal :

> «C'est elle... qui sert de guide à l'homme que Dieu a choisi pour l'établissement de l'Eglise du Canada, M. Le Royer de la Dauversière, écrit Olier en ses *Mémoires*; quoique ce grand serviteur de Dieu soit très éclairé dans les choses qui concernent sa mission, il regarde comme une grâce signalée de converser avec elle et de recevoir ses conseils sur les affaires les plus importantes du pays.[5]»

Mais Marie Rousseau trouvait parfois que le créateur de Montréal se laissait trop prendre par l'aspect temporel de sa mission et s'inquiétait de manière excessive, comme si tout dépendait de lui; dans ses *Visions*, elle consigne à la date du 11 septembre 1642:

> «Il m'a été dit : On vous viendra incontinent quérir de chez M. Germain, où vous rencontrerez M. de la Dauversière qui travaille pour les pays de Canada, où il ne verra pas la dignité du Saint Mystère aux affaires qu'il fait pour Dieu; et ce qui l'empêche, c'est qu'il s'occupe trop ardemment à la fourniture temporelle et croit que mon Fils n'y pourrait pas assez...Allez-y et vous aurez lumière afin de les encourager...»

Et elle poursuit en racontant son extase chez M. Germain : «Monsieur de la Dauversière ne pensait qu'à savoir de moi qui c'est qui lui donnerait des charités pour son dessein de Canada; mais mon âme demandait bien autre chose : d'avoir des prêtres et des ouvriers...»[6]

On saisit sur le vif les préoccupations immédiates de Jérôme Le Royer; elles seront permanentes tout au long de sa vie : trouver des fonds; à quelles portes frapper avec quelque chance de ne pas se heurter à un refus? Il avait à pourvoir chaque année à l'envoi des provisions, au recrutement de nouveaux engagés, à l'affrètement d'un navire : le financement relevait chaque fois plus ou moins de la quadrature du cercle. Les rebuffades et les déceptions ne lui manquaient pas, et Marie Rousseau pouvait écrire le 9 juillet 1644:

> «(Je) voyais M. de la Dauversière humble et humilié bien plus, et traversé, pour unir le bien qu'il fait avec les peines qu'il aura (devant que de mourir) aux peines de Jésus-Christ...»[7]

L'entreprise de Montréal fut sa croix permanente durant les années qui séparent la fondation de la colonie (1641) jusqu'à sa mort (1659), mais son dévouement demeura entier et il ne faiblit pas.

Plus que sur Olier, tiraillé entre sa paroisse et ses multiples activités et qui s'offre encore en 1653 au P. Alexandre de Rhodes pour l'aider dans la mission du Tonkin, Jérôme Le Royer pouvait compter sur l'appui inconditionnel du baron de Renty : «Il a extrêmement contribué à l'avancement des affaires de la Nouvelle-France»[8], écrit de lui le P. Saint-Jure en 1651.

Et l'on croît deviner quel est l'ami qui a rapporté au biographe un trait, datant de l'année 1644, selon toutes vraisemblances :

> «Un de ses amis l'accompagnant un jour de la Semaine Sainte à Paris pour aller prendre à l'Épargne une grande somme d'argent que la Reine avait donné avec une bonté et une libéralité vraiment royale pour aider l'Eglise naissante de Canada, Monsieur de Renty lui dit, ayant passé devant une église où l'on chantait le service divin : Faisons ce que Dieu veut et n'ayons d'attache qu'à sa Sainte Volonté; c'est une grande consolation d'être dans l'église à ouïr les louanges de Dieu, mais demeurons maintenant ici, puisque c'est son bon plaisir ! Cet ami rapportant ceci ajoute dans son Mémoire que plusieurs personnes admiraient ce grand recueillement et cette union intime avec Dieu en un homme qui avait tant d'affaires comme lui, mais qu'il était au dessus des affaires, attaché uniquement à Dieu et à l'exécution de sa volonté». [9]

Je pense que Renty allait retirer en compagnie de Jérôme la somme de 30.000 livres qu'à partir de 1645, il mit régulièrement à la disposition de la *Communauté des Habitants* pour financer l'embarquement annuel et qui était remboursée sans intérêts à l'automne. Après la mort de Renty, Jérôme continua à faire de même, ce qui a donné lieu à des interprétations défavorables de la part d'historiens récents quant à la sagesse de ces placements ! [10]

Renty savait redonner confiance à son ami; l'on a cité plus haut la lettre qu'il lui écrivit à la veille de mourir, en 1649, pour l'assurer que «Dieu le conserverait pour... les affaires qui concernent sa gloire et son service»[11]; mais il est une autre lettre citée par Saint-Jure qui semble avoir été adressée à M. de la Dauversière à un moment difficile, où il prend en exemple l'épisode de Jésus marchant sur les eaux :

> «Pensez-vous que ce fut sans une particulière Providence que Notre-Seigneur laissa aller ses Apôtres seuls en une nacelle et permit qu'il s'élevât un vent contraire? Qui ne sait que c'est ainsi qu'il forme les âmes des fidèles par ses absences et par des épreuves, qu'après, tenant à montrer son pouvoir

sur la mer et sur les orages, il visite notre foi, se faisant connaître le Messie et le vrai Libérateur du monde !

«Mais remarquez qu'il y a quantité de personnes qui, dans leurs peines, tiennent beaucoup de la frayeur qu'eurent les apôtres voyant Notre Seigneur marchant sur les eaux : tout leur fait peur, le vent, les vagues, Jésus-Christ même, c'est-à-dire leurs agitations d'esprit, leurs retours, et aussi les conseils qu'on leur donne pour les retirer et les affermir en Jésus-Christ devant Dieu; tout cela paraît un fantôme qui les épouvante, si Jésus-Christ ne se manifeste davantage à eux et ne les fortifie.

«Manquerons-nous toujours de confiance pour croire Jésus-Christ un fantôme; n'irons-nous point à lui pour tous nos besoins comme à notre seul Libérateur? On lui portait autrefois les malades corporels, et il les guérissait, est-il venu pour être plutôt médecin des corps que des âmes?

«Notre peu de foi, notre peu d'amour et notre peu de confiance est la cause de nos langueurs et des lassitudes inutiles de nos esprits : ainsi allons droit à Jésus-Christ en confiance»[12].

Certes, tout chrétien peut avoir à un moment difficile de sa vie besoin de telles paroles et nous ne pouvons être sûrs qu'elles ont été adressées à M. de la Dauversière en particulier; mais il lui était bon de les entendre souvent.

De même cette confidence que Renty fit à un ami semble avoir été faite à La Dauversière de préférence à d'autres; le P. Saint-Jure écrit : «Il dit un jour avec beaucoup d'humilité et dévotion à une personne fort confidente : J'ai été cette nuit tout baigné de larmes pour la vue que Notre Seigneur m'a donné ; puis, ayant demeuré quelque temps sans rien dire, tout pénétré et transporté de la grâce qu'il avait reçue, il ajouta que, faisant son oraison, il avait connu qu'il aurait un grand emploi pour la Nouvelle-France que l'on sait lui être arrivé, principalement en la fondation de l'Eglise dans l'île de Montréal, à laquelle, se joignant à d'autres personnes de piété que Dieu avait encore choisies pour ce noble dessein, il a par ses soins, par ses conseils, par son crédit, par ses libéralités et par celles qu'on lui a élargies, extrêmement servi»[13].

Encore une fois, ces lignes ont été écrites en 1651, ou mieux publiées en 1651, c'est-à-dire tracées probablement l'année précédente; qui a pu mieux renseigner le P. Saint-Jure que M. de la Dauversière lui-même?

Il est tentant que rechercher dans ce qui reste de la *Correspondance* du baron de Renty, telle qu'elle a été établie et annotée par R. Triboulet, les lettres ou fragments de lettres envoyées à un «destinataire inconnu», qui pourraient avoir été adressées à son ami de La Flèche [14]. Rien ne permet d'aboutir à une conclusion certaine, mais six d'entre-elles entrent dans cette catégorie; l'on a cité plus haut tout au long celle qui présente le plus de vraisemblance.

La mort de Renty laissa M. de la Dauversière plus isolé; il avait le baron Fancamp auprès de lui, toujours prêt aux largesses dans la mesure de ses possibilités financières, mais il ne semble pas avoir été un homme d'action; sa carrière en tout cas ne l'indique pas.

Jérôme Le Royer était parfaitement au courant de ce qui se passait à Montréal, car Maisonneuve et Jeanne Mance ont multiplié les voyages et l'ont renseigné de première main; l'on ne compte en effet pas moins de quatre voyages du premier en France entre 1645 et 1657, et deux voyages de Jeanne Mance. M. de la Dauversière est resté sans contact personnel avec le centre missionnaire de 1641 à la fin de l'année 1645, de la fin de 1653 à la fin de 1655, et de la fin de 1657 à la fin de 1658, soit dix ans sur les dix-huit années où il eut à pourvoir aux besoins de la colonie.

La situation sur place s'était révélée très difficile; les Iroquois du Sud se rendirent vite compte de la présence du petit poste isolé; une première attaque en juin 1643 montra qu'il faudrait compter avec eux; ils multiplièrent les embuscades, et les autres Indiens jugèrent l'île trop exposée pour accepter de venir s'y établir auprès des Français.

Devant les difficultés rencontrées, le silence se fait en France sur le projet qui ne semble pas devoir se développer selon le plan, conçu par M. de la Dauversière et accepté d'enthousiasme par les premiers associés de 1642; on commence à s'en désintéresser. Les *Relations des Jésuites* parlent peu de Montréal après 1643; les associés de leur côté ne publient pas de bulletins, faute de matière, et ils seraient trop décevants pour le public.

Au Canada, les Iroquois détruisent les missions de Huronie en 1649-1650 et forcent les Jésuites à se replier sur Québec, puis à rapatrier nombre de leurs missionnaires. En France même les troubles de la Fronde ont commencé en 1648.

Dans une situation aussi défavorable, il devenait de plus en plus difficile de susciter les générosités qui étaient sollicitées de partout. C'était à désespérer, et M. de la Dauversière fut plus d'une fois au bord du découragement; il l'écartait comme une tentation :

«Il a passé dans les états les plus pénibles, écrit Fancamp; il m'a avoué avoir été dix-huit mois dans un état de désespoir. Au dehors, il a eu des personnes qui l'on persécuté de toutes manières et perpétuellement. Il s'est vu ruiné en vingt-quatre heures, ayant en une seule journée perdu 100.000 livres de bien, se riant de cela comme s'il eût été de bronze»[15].

Il lui a fallu beaucoup de courage et de magnanimité pour faire face pendant dix-huit ans. Sa santé n'était pas bonne, et il était sans cesse sur les routes : l'on connaît une très grave maladie qui l'a conduit presque à la mort en 1632; il en fut de même en 1649, au début de l'année, puis ce furent les misères des dernières années : il approchait de la soixantaine et sa résistance à la fatigue n'était plus la même que vingt ans plus tôt.

M. Olier s'était montré bien optimiste dans la brochure de 1643, en affirmant hautement devant le public (un public restreint, il est vrai, car sa brochure ne pénétrait pas partout) que le facteur «temps» n'avait pas d'importance : «Ce que nous ne pourrons en un an, nous le ferons en dix; si on ne peut rien faire en dix, on le fera en cent, et si (et ainsi) le terme vous semble bien long, mais à ceux qui travaillent pour l'éternité, c'est peu de chose... A Dieu... mille ans ne lui est qu'une heure; laissez-lui faire ce qu'il veut...»[16]

En réalité, beaucoup des associés ne pouvaient attendre; il leur fallait l'aiguillon du succès immédiat, sinon c'était de leur part le désintérêt. La conjoncture en France n'était guère favorable, avec la disparition de Richelieu et de Louis XIII, les aléas d'une Régence, un ministre étranger, la guerre avec l'Espagne qui se prolongeait, la situation de guerre civile qui s'instaura de l'été 1648 à l'été 1653.

Quant à M. de la Dauversière, il ne peut consacrer tout son temps à l'entreprise; il a son office à remplir; il n'est pas comme plusieurs des membres de la *Compagnie du Saint-Sacrement*, bénévole à plein temps du fait de sa situation de fortune; de plus, il ne réside pas dans la capitale et les fondations des Filles de Saint-Joseph l'occupent beaucoup.

Et, comme si cela ne suffisait pas, il a accepté d'être le procureur de Maisonneuve pour ses affaires familiales qui sont embrouillées; il l'est également d'autres personnes tel l'aumônier des Ursulines de Québec, René Chartier, de 1643 à 1647 : la découverte fortuite de cette correspondance montre que, malgré toutes ses autres obligations, il se chargeait d'affaires difficiles, simplement pour rendre service :

> «Je tiens à très grand honneur de vous rendre quelques petits services, écrit-il à M. Chartier en 1646, et je le ferai avec d'autant plus de consolation que vous me témoignez vouloir consacrer votre vie au service de Dieu, de ses servantes et des pauvres sauvages. Monsieur, votre vocation est bien sublime...»[17]

Le reproche que l'on peut faire à M. de la Dauversière est de n'avoir pas su mesurer son dévouement à ses possibilités réelles et sa générosité à se propres ressources. Reproche facile! envers Montréal, il avait contracté de grandes obligations comme initiateur et fondateur; il ne pouvait laisser simplement les choses aller et retirer son épingle du jeu, dès que les événements semblaient prendre une tournure dangereuse, voire catastrophique pour sa propre fortune familiale, déjà menacée par les conditions mêmes de sa charge de receveur des tailles.

L'analyse des papiers de famille qui fut faite avant la destruction de nombre d'entre eux, au xix siècle, par sœur Gaudin, montre que Jérôme Le Royer a beaucoup emprunté et souvent pour faire face aux échéances.

Le 24 janvier 1643, il donne procuration à Jeanne de Baugé, son épouse, pour emprunter jusqu'à la somme de 15.000 livres, et la sœur Gaudin note : «Il est plus tôt fait de dire qu'en 1643, M. Jérôme Le Royer a emprunté 72.000 livres, dont 60.000 livres dans le seul mois de janvier; pour la plupart de ces emprunts, M. de Boistaillé, de la Crochinière, Doyon de Pasty, Olivier de la Cloutière et quelques autres, étant parents et alliés de M. de la Dauversière, se rendaient solidaires avec lui et son épouse; mais au bas de ces actes était reconnu qu'en cas qu'ils aient agi ainsi, néanmoins la vérité était qu'ils ne l'avaient fait pour faire plaisir à M. Le Royer et qu'ils n'avaient rien touché des sommes prises à rente ou autrement».

Il faut abandonner aux historiens de Montréal et aux historiens de la *Société de Notre-Dame de Montréal* le détail des actes officiels, le développement de la colonie, l'évolution des institutions; cela a été fait bien des fois et continue à l'être avec un esprit critique. Ce qui fait l 'objet de ce livre est la personne de M. de la Dauversière, particulièrement dans le développement de sa vie spirituelle, liée chez lui à ses entreprises apostoliques et à l'accomplissement de la mission qu'il pensait - et d'autres avec lui - avoir reçu de Dieu.

Une simple remarque pour terminer : est-il juste de reprocher à Jérôme de n'avoir pas réussi à équilibrer le budget de la colonie qui reposait essentiellement sur la générosité du public dévot? Il n'est pas le seul; c'est la règle générale des entreprises outre-mer de l'époque et au-delà; une entreprise coloniale équilibre rarement les profits et des dépenses; au XVII siècle, il n'est que de voir les problèmes auxquels se sont heurtés la Compagnie des Cent-Associés, la Compagnie des Habitants, les diverses Compagnies de l'Acadie, puis de la Louisiane. La notion d'investissement à long terme n'était pas bien comprise.

La seule solution était la marche en avant : rapatrier les colons, les dédommager de leurs pertes auraient constitué également des entreprises très coûteuses et impossibles à financer.

On se montrerait aujourd'hui sévère pour celui qui aurait décidé d'arrêter le développement de la colonie de Montréal pour éviter de compromettre sa propre fortune et par intérêt personnel.

1. *Relation de ce qui s'est passé en la Nouvelle-France en l'année 1642*, Paris, Sébastien Cramosy, 1643, p.130.

2. *Véritables motifs*, p. 116-117.

3. *Mémoires de M. Olier*, t. II, p. 383.

4. *Mémoires de M. Olier*, t. II, p.422-423.

5. Le passage est cité par P. Renaudin, «Une voyante parisienne, Marie Rousseau», dans *La Vie spirituelle*, 21 année, t. 58, 1939, p. 265-266.

6. *Révélations et Mémoires de Marie Rousseau*, Paris, *Bibliothèque Nationale*, fr. 19.326-19.338; le texte a découragé presque tous les chercheurs à cause de sa graphie extrêmement difficile à lire; nous référons ici aux *Extraits* faits par Faillon; le premier passage est à la page 791 de l'année 1642.

7. *Ib.*, p. 721 de l'année 1644.

8. Jean-Baptiste Saint-Jure, *La Vie de Monsieur de Renty*, Lyon, Hierosme Delard, 1659 (la première édition est de 1651, mais nous citons celle-ci, la première n'ayant pu être consultée), p. 131.

9. *Ib.* p. 236.

10. Gaston Jean-Baptiste de Renty, *Correspondance*, éd. R. Triboulet, Paris, Desclée de Brouwer, Paris, 1978, p. 316 s.; voir la longue note 5 qui reproduit le contrat du 17 février 1645 entre Renty et Pierre Legardeur de Repentigny, agissant comme député de la Communauté des Habitants. Après sa mort, M. de la Dauversière prend sa succession comme bailleur de fonds pour la même somme; ne connaissant pas la provenance de cette somme L. Campeau est amené à formuler un jugement insuffisamment fondé sur la «témérité» de M. de la Dauversière en affaires : L. Campeau, *Les finances publiques de la Nouvelle-France sous les Cent-Associés, 1632-1665*, Montréal, Ed. Bellarmin, p. 70 et notes.

11. Mémoire du petit-fils, p. 3.

12. Saint-Jure, *Vie de Renty*, p. 274-275; dans le recueil de Triboulet, c'est la lettre 147.

13. Saint-Jure, *Vie de Renty*, p. 201.

14. Dans l'édition Triboulet, les numéros à retenir seraient : 15, 203, 237, 250, 251, 366, en plus du 147 déjà cité.

15. Marie Morin, *Histoire simple et véritable...*, p. 109.

16. *Véritables motifs*, p. 89-90.

17. *Archives départementales de Maine-et-Loire*, 14 H.7, original. Ces lettres retrouvées fortuitement avaient déjà été présentées dans une étude : G.-M. Oury, «Le second aumônier des Ursulines de Québec : René Chartier», dans *Eglise et Théologie*, vo.5, 1974, p. 37.

Le Pré-Luneau

Chapitre XIV

LES FILLES DE SAINT-JOSEPH À VILLE MARIE

Avec le baron de Renty et Jean des Bernières, M. de la Dauversière est l'un de ces laïcs du grand siècle à qui l'on est venu demander une direction spirituelle. Il est moins connu que les deux mystiques normands, car sa correspondance n'a pas recueillie et il n'a pas trouvé de biographe contemporain pour raconter sa vie; les témoins de son existence se sont montrés plus silencieux; mais il mérite autant d'être fréquenté.

Au lieu d'avoir pour disciples des personnalités aussi marquantes que Mgr de Laval, Henri de Bernières, Augustin de Mézy, Jean Dudouyt et d'autres, comme ce fut le cas pour Jean de Bernières; au lieu des Carmélites de Beaune, comme le baron de Renty, Jérôme Le Royer eut les Filles de Saint-Joseph et particulièrement Marie de la Ferre, leur première supérieure.

A-t-il connu Bernières? c'est probable, étant donné les intérêts communs et les amis communs; peut-être quelque indice, encore caché, révélera un jour cette amitié. Mais l'on est tenté dès maintenant de chercher dans la *Correspondance* imprimée de Bernières ce qui aurait été adressé à M. de la Dauversière ; par exemple cette lettre :

«J'ai eu le bonheur de voir Madame de Renty, nous avons parlé longtemps des vertus de son cher mari, et mon très cher et très honoré frère. Elle m'a dit entre autres choses qu'il était si amoureux de la pauvreté, qu'il lui fit la proposition plusieurs fois de tout quitter, mais elle ne le voulut permettre. L'on voit par cet exemple que ce n'est pas une chose nouvelle de se retirer du monde, quoiqu'on y fasse beaucoup de bien; un grand extérieur est souvent cause d'un petit intérieur et, pour y remédier, l'on prend un petit extérieur pour avoir un grand intérieur.

«Arsène, dans ses oraisons, continuera à être abandonné entre les mains de Dieu et il expérimentera de plus en plus combien le Seigneur est doux; en attendant sa retraite entière, il demeurera retiré le plus qu'il pourra...»[1]

Il faut essayer de déchiffrer comme pour les *Caractères* de la Bruyère; la lettre est du 17 octobre 1654 : Arsène, du nom du grand solitaire d'Egypte qui a quitté la Cour pour le désert, ne serait-il pas Pierre Chevrier de Fancamp, grand chercheur de solitude, qui a reçu l'ordination sacerdotale et va se retirer au prieuré de Sausseuses près de Vernon dans le Vexin, dont son frère était prieur commendataire? Il connaissait bien Bernières et sa sœur Jourdaine qui s'occupaient des affaires de madame de la Peltrie; il avait même racheté une partie des biens de celle-ci en France en 1646 pour lui rendre service[2].

Les témoignages sont assez nombreux des «échanges spirituels» de M. de la Dauversière avec ses filles pour que l'on se dispense de recourir aux hypothèses. Marie Morin, rapportant les souvenirs des anciennes, dit qu'il «visitait souvent (les premières fondatrices), les consolait et encourageait dans leurs travaux de corps et d'esprit qu'elles avaient à soutenir[3].»

Le P. Meslan qui s'occupait à ce moment du petit groupe des Filles de Saint-Joseph au spirituel, encourageait M. de la Dauversière en ce sens, l'invitant à donner des instructions «sur la grandeur des vertus propres à leur état et les moyens et manière de les pratiquer»[4].

Jérôme ne se bornait pas à instruire le groupe; il était pour plusieurs un authentique directeur spirituel : «L'estime et le respect profond que (les sœurs) avaient pour lui ne leur ôtait point la confiance à lui dire leurs difficultés dans la vie spirituelle et la pratique des vertus»[5].

Sœur Morin revient plusieurs fois sur le fait : «Son directeur l'obligeait, quoique laïc, de diriger celles de ses filles qui le souhaitaient et de leur faire des exhortations à portes closes. Ma sœur Macé m'a dit, depuis deux jours, que cela arrivait souvent, étant toujours disposé et des matières préparées quand on l'en priait; qu'une fois il en fit trente de suite, si touchantes que toutes les sœurs en sortaient baignées de larmes[6].»

Ce passage montre comment procédait sœur Marie Morin dans la rédaction de son *Histoire simple et véritable*; au cours de sa rédaction, elle allait consulter la survivante des anciennes, sœur Macé, pour lui faire préciser un souvenir, pour vérifier si telle affirmation était exacte.

Dès cette époque, Jérôme entretenait la communauté d'une future fondation à Montréal; il en parlait surtout à celles qu'il dirigeait personnellement :

«...entre lesquelles, écrit sœur Morin, était notre digne Mère Macé. On ne peut rien ajouter à l'estime et confiance qu'elle avait pour ce grand serviteur de Dieu qui était l'organe des volontés de Dieu pour elle. Quand, des fois, elle avait les mains jointes et les yeux élevés au ciel, toutes ses paroles étaient des transports, ne pouvant exprimer ses sentiments avec tout l'avantage qu'elle eût souhaité. Dès le premier entretien qu'il fit en faveur de ce nouvel établissement, il gagna son cœur qui fut pénétré du désir de sacrifier de nouveau sa santé et sa vie dans ce pays sauvage»[7].

La vieille sœur qui approchait de ses quatre-vingts ans, était toute émue lorsqu'elle évoquait le souvenir de ses conversations avec M. de la Dauversière.

Selon le plan dessiné en 1640 ou 1641, sous le nom de *Dessein des (futurs) associés de Montréal*, et développé dans la brochure de M. Olier en 1643, la colonie devait comporter un Hôtel-Dieu; Jeanne Mance s'était jointe au groupe en 1641 pour en jeter les bases. Dans l'esprit de M. de la Dauversière, ses filles étaient toutes désignées pour le prendre en charge quand les temps seraient venus. On peut penser que la rédaction des *Constitutions* et le choix d'un type de vie non-proprement religieux ont été influencés par le projet d'une fondation possible en pays de mission.

Y eût-il des hésitations à ce sujet à Montréal dès avant l'arrivée des Sulpiciens (1657)? Il est difficile de l'avancer avec certitude. Une lettre de P. Le Jeune à la supérieure de l'Hôtel-Dieu de Québec en date du 10 mars 1656 fait état de tractations diverses qui sont peut-être davantage le fait des associés de Paris que des colons de Ville-Marie :

«Je verrai bien ici (à Paris où il est procureur de la mission) si Montréal vous demande véritablement. J'ai ouï dire qu'il voulait des filles de M. de la Dauversière; s'il s'est ravisé, il le fera paraître. J'ai votre procuration; vos sœurs (de Dieppe) et moi écoutons tout, et Madame d'Aiguillon aura connaissance de tout». La duchesse d'Aiguillon était la fondatrice de l'Hôtel-Dieu de Québec.

«(J'ai reçu votre) cinquième (lettre) du 18 d'octobre, enfermant la lettre de Mademoiselle Mance; je communiquerai l'une et l'autre à Madame d'Aiguillon et à la Mère de la Résurrection à qui j'en ai déjà donné nouvelle. Il faut voir devant si M. de la Dauversière et M. de Maisonneuve ne s'ouvriront pas. J'ai écrit au R. P. Charles Lalemant qui est allé depuis peu à La Flèche pour être recteur du Collège qu'il prenne garde si on ne dispose point les Hospitalières qui sont là.

«Depuis ce que dessus écrit, j'ai parlé à M. de Maisonneuve. Il n'y a rien à faire pour vous à Montréal. Il m'a dit que si, vous aviez une bonne fondation, que vous pourriez aller, mais qu'il ne fallait point vous attendre à celle qui y est. Voilà où a abouti toute sa faveur.

«Je doute fort qu'il y aille des Hospitalières de La Flèche, du moins sitôt[8].»

Quoi qu'il en ait été de ces échanges et tractations préalables, un accord fut passé le 31 mars 1656 à Paris entre les administrateurs de la colonie de Montréal et les Filles de Saint-Joseph; parmi les associés étaient présents M. Olier, M. de Bretonvilliers, le duc de Liancourt, M. de Morangis, M. du Pessis Montbard, le baron de Fancamp, Bertrand Drouart, Louis Séguier, et bien entendu Maisonneuve et M. de la Dauversière[9].

En vertu de cet accord, trois ou quatre Filles de Saint-Joseph passeraient à Montréal pour y soigner les pauvres malades; elles y vivront selon les règles de leur Institut; elles seront mises en possession de la concession prévue pour l'Hôtel-Dieu; elles auront la propriété des bâtiments qui seront élevés à leur intention; la communauté de La Flèche allouera à chacune des partantes une pension d'au moins 150 livres par religieuse; si des jeunes filles entrent dans la communauté de La Flèche avec l'intention d'aller à

Ville-Marie, il faudra l'indiquer dans leur contrat, et leur dot appartiendra à l'Hôtel-Dieu de leur destination; si elles changent d'avis, l'Hôpital où elles demeureront en aura la jouissance.

Telle est la teneur du contrat; ce qui va compliquer les choses, c'est que les Sulpiciens envoyés à Montréal l'année suivante ne penseront pas à se conformer aux clauses passées à Paris; M. de Queylus fera même venir deux Hospitalières (chanoinesses régulières et non filles séculières) de l'Hôtel-Dieu de Québec avec l'intention de les mettre en possession de la maison, au moment même où Jeanne Mance s'embarquait pour la France. Il n'est pas nécessaire ici d'entrer dans de nombreux détails qui appartiennent plus à l'histoire de l'Hôtel-Dieu qu'à celle de M. de la Dauversière.

Jeanne Mance qui se résolut à passer en France à la fin de 1658, voyagea dans des conditions très pénibles, souffrant de son bras démis et ankylosé; elle se fit accompagner par Marguerite Bourgeoys, n'étant pas en mesure de voyager seule; elle arrivèrent à La Rochelle au milieu de décembre 1658; comme Jeanne souffrait trop pour voyager en coche, il fallut louer une litière. Les deux femmes gagnèrent Saumur où elles désiraient faire le pèlerinage de Notre-Dame-des Ardilliers, cher à Renty et à Olier, à Renty surtout qui y était venu en décembre 1630, à l'âge de dix-neuf ans, avec l'intention d'aller s'enfouir ensuite à la chartreuse du Liget en forêt de Loches, à l'insu de sa famille.

Elles passèrent à l'Hôtel-Dieu de Baugé, avant d'arriver à La Flèche, où M. de la Dauversière fit un accueil assez froid à Jeanne, car il la croyait gagnée aux vues de M. de Queylus; il suffit de quelques mots d'explication pour dissiper le malentendu. Jeanne Mance et Marguerite Bourgeoys passèrent les fêtes de Noël chez les Filles de Saint-Joseph; mais il fallait trouver une fondation, M. de la Dauversière étant bien incapable d'y pourvoir dans l'état délabré de sa trésorerie. L'Hôtel-Dieu était fondé, non la communauté au service de l'Hôtel-Dieu.

Jeanne se rendit donc à Paris, promettant de solliciter encore une fois Madame de Bullion qui avait déjà tant aidé Montréal sous le voile de l'anonymat. Elle réussit.

Le choix des Hospitalières de La Flèche ne fut pas aisé à obtenir. A Montréal, M. de Queylus avait fait savoir sa préférence pour les Hospitalières-moniales de Québec et confié aux partantes un abondant courrier qui allait en ce sens. A Paris, Mgr de Laval, récemment consacré évêque, préparait son embarquement et était du même avis. L'évêque d'Angers, sans doute pour toutes ces raisons, se fit tirer l'oreille pour accorder les obédiences.

Mais les associés de Montréal étaient décidés à s'en tenir aux termes du contrat signé le 31 mars 1636, et leur résolution fit finalement tomber les oppositions[10].

La décision fut prise de justesse; rien n'était encore fait quand Jérôme, malade, reçut des associés une lettre, le 23 mai 1659, lui demandant de se rendre à La Rochelle pour hâter l'embarquement. Mgr Arnauld se décida alors et fit remettre aux religieuses choisies par M. de la Dauversière leurs lettres d'obédience.

«Il nomma pour cette grande œuvre ma sœur Catherine Macé, ma sœur Judith de Brésoles et ma sœur Marie Maillet; il nomma et établit ma sœur de Brésoles et supérieure dudit établissement»[11]. Au moment du départ de La Flèche, il y eut une émotion populaire, comme on disait, et l'on essaya d'empêcher le convoi de prendre la route; l'on en reparlera à propos des derniers mois de Jérôme Le Royer.

Le montant de la fondation avait été remis à M. de la Dauversière avec mission de le placer en rentes, ainsi qu'un supplément de 2.000 livres pour les dépenses du mobilier, du voyage et des approvisionnements.

La conduite spirituelle des Filles de Saint-Joseph fut confiée par l'évêque d'Angers à un Sulpicien, M. Le Maistre, qui partait avec elles pour rejoindre le séminaire de Montréal et devait y trouver la mort.

Une autre Hospitalière se proposa à Mgr Arnauld et à M. de la Dauversière, sœur Françoise Pilon, alors supérieure de Baugé; Mademoiselle de Meleun fit échouer sa candidature, pensant qu'elle était indispensable là où elle se trouvait; elle devait mourir subitement le 18 juin 1659, alors que les partantes étaient déjà à La Rochelle.

Un souvenir de sœur Maillet, rapporté par sœur Morin: M. de la Dauversière désirait que les partantes ne se laissent pas trop absorber par la préparation matérielle de leur départ, aux dépens des «dispositions intérieures de sacrifice et d'abandon entier à tout ce que Dieu voudrait faire de leurs personnes».

En tant que future économe, sœur Maillet avait quelque peine à adopter cette attitude spirituelle : «Monsieur de la Dauversière l'en reprit, ne voulant pas que ces victimes eussent d'autres pensées que celle de leur immolation...»[12]

Cela supposait de sa part une volonté ferme de respecter la hiérarchie des valeurs et de centrer les âmes sur l'essentiel. Les Filles de Saint-Joseph de La Flèche et des autres maisons feraient certainement tout le nécessaire et pourvoiraient aux besoins des fondatrices, ainsi qu'on l'avait fait déjà à trois reprises en 1650 et 1651 pour Baugé, Laval et Moulins; ce qu'il fallait aux trois partantes, était d'entrer pleinement dans les dispositions intérieures de donation sans réserve :

«... se préparant dans leur esprit à souffrir le martyre par les Iroquois, ce qui aurait été bien vrai si elles avaient été prises par eux et tombées entre leurs mains : ce dont Notre Seigneur les a préservées par sa miséricorde...»[13]

Sœur Morin ajoute que M. de la Dauversière «eut beaucoup de peine à se rendre (à La Rochelle), étant déjà pris de la maladie qui lui a causé la mort»[16]. Il y arriva la veille de la Pentecôte, le 31 mai 1659.

Notes — Chapitre XIV

1. Les *Œuvres spirituelles de Monsieur de Bernières Louvigni*, ou *Conduite assurée pour ceux qui tendent à la perfection*, Paris, 1670, Lettre V pour la vie unitive (17 octobre 1654), p. 293-294.

2. *Archives du château de l'Isle* près d'Alençon; une photocopie du dossier se trouve actuellement aux *Archives départementales de l'Orne*; cf. G.-M. Oury, *Madame de la Peltrie et ses fondations canadiennes*, Solesmes-Québec, 1974, p. 101-102.

3. Marie Morin, *Histoire simple et véritable*, p. 31.

4. *Ib.*

5. *Ib.*

6. *Ib.*, p. 57.

7. *Ib.*, p. 188-189.

8. *Lettre du P. Le Jeune à la Mère de Saint-Bonaventure à Québec*, 10 mars 1956, éd. R.-G. Thwaites, *The Jesuit Relations and Allied Documents, Travels and Explorations of the Jesuit Missionaries in New France, 1610-1791*, vol. XLI, rééd. New York, Pageant Book Company, 1959, p.238-240.

9. *Contrat d'établissement de l'Hôtel-Dieu de Ville-Marie*, 31 mars 1656, Paris, *Archives Nationales, Minutier central*, Chaussière L - 56; *Archives départementales de la Sarthe*, H. 1807, éd. M. Mondoux, *L'Hôtel-Dieu, premier hôpital de Montréal, 1642-1942*, Montréal, 1942, p. 358-363.

10. *Contrat de fondation des filles hospitalières de Montréal*, 29 mars 1659 - 9 juin 1659, éd. Mondoux, p. 364-366; Montréal *Bibliothèque municipale, Salle Philéas Gagnon*, ms. 313, 658; *Archives du Séminaire de Québec*, Polygr. III, no. 23 et 24.

11. Marie Morin, *Histoire simple et véritable...*, p. 85.

12. *Ib.*, p. 86.

13. *Ib.*, p. 86-87.

14. *Ib.*, p. 87.

Notre-Dame des Ardilliers à Saumur

Chapitre XV

LA DERNIÈRE ÉTAPE

Le baron de Fancamp fait remonter à 1657 le commencement des grandes souffrances physiques de son ami; l'entrée dans la soixantaine est marquée par un effondrement de la résistance physique chez M. de la Dauversière : «Il a porté deux ans quatre maladies sans que le médecin ni personne l'ait su, dont une seule était capable de le mettre au désespoir : la gravelle, la pierre, un ulcère dans le conduit, et une colique néphrétique qui avait rempli les urètres de petites pierres qui, ne pouvant passer, causaient des maux extrêmes[1].»

De telles infirmités auraient dû lui interdire absolument les chevauchées qui devenaient autant de supplices. Or, écrit Pierre Chevrier, «il était perpétuellement à cheval tantôt pour le Canada, tantôt pour l'établissement de ses filles et toujours pour des affaires de charité.»

Les chevauchées étaient longues de La Flèche à Paris, de Paris à La Rochelle. La présence dans le port était nécessaire pratiquement chaque année au moment de l'embarquement. La dernière année fut particulièrement chargée avec le retour de sa fille, Jeanne, de l'Hôtel-Dieu de Moulins au terme de son second triennat, en compagnie de deux autres Hospitalières de La Flèche, emportant avec elles les restes de Marie de la Ferre : au début d'avril, M. de la Dauversière devait les rejoindre à Orléans pour les escorter ensuite dans leur voyage de retour; puis il y eut les allées et venues de La Flèche à Laval pour aller chercher les sœurs destinées à Montréal[2]; de La Flèche à Angers pour obtenir les autorisations nécessaires de l'évêque, puis le long trajet jusqu'à La Rochelle : «Ces voyages se faisaient la plupart du temps la haire sur le dos, sur les épaules pourries, écrit Fancamp. L'ayant embrassé à son retour de quelque long voyage, je l'ai trouvé en cet état, et le soir qu'il revint de La Rochelle, accablé de huit maladies qui l'ont emporté, il avait encore ce harnais sur lui[3].»

M. de la Dauversière est allé jusqu'à à limite ultime de ses forces physiques; il affrontait avec une résistance amoindrie une situation très difficile.

La levée d'une nouvelle recrue pour Montréal destinée à prendre la mer à La Rochelle avait soulevé l'opposition; bien que la situation de la colonie ait été moins critique que d'autres années, les habitants de La Flèche avaient appris la mort violente de plusieurs des engagés de 1653 ou d'autres années : Yves Bastard de La Flèche, tué le 11 octobre 1654 par les Iroquois, Christophe Roger de Clermont, noyé en 1656, Jean Davoust du même village, noyé en 1657 en accompagnant le P. Duperron, Jacques Nail de Solesmes, tué le 25 octobre 1657 par les Iroquois; d'autres étaient morts de maladie et de misère : François Hudin de La Flèche en 1654, François Nochet de Chemiré-en-Charnie, le 11 décembre 1654, Jean Fresnot de Ruillé-en-Champagne le 26 juillet 1655, Louis Biteau de Clermont, le 15 février 1658[4].

Il n'en fallait pas davantage pour créer un courant hostile à M. de la Dauversière, accusé d'envoyer les enfants du pays à une vie de misère, à la mort et au massacre.

Au commencement de l'année, Pierre Le Gouvello de Kériolet, le pénitent breton, membre de la Société de Montréal, vint étudier auprès de M. de la Dauversière le fonctionnement de l'Hôtel-Dieu; il avait «établi une espèce d'Hôpital en sa maison en Bretagne» et «demeura trois mois chez Jérôme», lit-on dans le *Mémoire* du petit-fils. «Il dit qu'il avait à son Hôpital quatre femmes possédées, lesquelles disaient dans leurs fureurs qu'elles renverseraient la terre et l'enfer pour perdre Jérôme et sa famille et la maison de Saint-Joseph de La Flèche[5].»

M. Kériolet rapportait la prédiction comme une certitude; il croyait très fort aux diableries, ayant été impliqué lui-même avant sa conversion dans le culte démoniaque, et ayant reçu le choc déterminant pour sa conversion en assistant aux exorcismes de Loudun.

Le P. Charles Lalemant qui avait secondé l'entreprise de Montréal alors qu'elle n'était encore qu'embryonnaire, avait rapporté la vision d'une mystique de sa connaissance, datant de 1657, selon laquelle Satan avait demandé à Dieu la permission de passer au crible Jérôme Le Royer, comme Job et avait obtenu ce qu'il sollicitait[6]. Peut-être la mystique en question est-elle Marie Rousseau qui avait si souvent annoncé des événements relatifs à Montréal.

L'épreuve annoncée se manifesta sous plusieurs formes : dépouillement intérieur et extérieur, abandon, persécutions, souffrances physiques, et - le plus angoissant de tout - situation financière sans issue.

Dès ce temps, écrit Fancamp, Notre Seigneur le dépouilla de toutes grâces sensibles, le laissant dans une telle nudité de foi que la même personne, ayant eu connaissance de son état et s'étant prise à pleurer de compassion de le voir en l'état qu'elle le voyait, et demandait à Dieu qu'il l'en tirât; il lui répondit : Je le pousserai bien plus loin!»[7]

Ce fut dans ces conditions dramatiques que se fit la levée de 1659 pour une nouvelle recrue au bénéfice de Montréal, puis eu lieu le départ des trois Hospitalières.

Durant la nuit qui précédait le départ, une émeute populaire s'organisa pour s'y opposer; des gens se massèrent autour de l'Hôtel-Dieu, dans les rues du Port-Luneau et des Récollets; à dix heures du matin, quand vint l'heure de quitter la maison, les trois partantes qui étaient à cheval ne purent sortir; elles étaient avec M. de la Dauversière, deux Sulpiciens et quelques gentilshommes; ceux-ci mirent l'épée au clair pour impressionner la foule.

Le baron de Fancamp, tout proche des événements fait état de quelques griefs que les petites gens avaient contre Jérôme Le Royer : ses achats massifs de toile pour Montréal faisaient monter les prix sur le marché de La Flèche; on l'accusait en outre de faire la traite des blanches avec les convois de femmes et de filles à destination de Montréal, pourtant placées cette année sous la garde de Jeanne Mance et de Marguerite Bourgeoys.

Il faut l'en croire, car il se trouvait sur place à ce moment (au moins au retour de La Rochelle) et il écrit tout de suite après la mort de son ami, à moins d'une année des événements.

L'hostilité des habitants avait cependant une cause plus profonde que le zèle déployé par Jérôme Le Royer pour peupler Montréal; il est facile de vouer aux gémonies les collecteurs d'impôts, surtout dans les périodes où le gouvernement augmente ceux-ci; on est alors trop heureux de décharger sa rancœur. La fameuse révolte des va-nu-pieds en Normandie, en l'année 1639, s'était dirigée de préférence contre les collecteurs et receveurs des tailles; plusieurs avaient été massacrés par la population dans des circonstances dramatiques.

Au-delà des colères de la populace, il y avait autour de M. de la Dauversière une mauvaise humeur persistante dans la société de la petite ville. L'on connaissait un peu ou l'on devinait l'étendue de ses dettes; il avait de nombreux créanciers dans sa parenté et parmi ses amis; l'on savait par ailleurs sa santé précaire, et l'on redoutait ce qui allait arriver : sa disparition et l'impossibilité de recouvrer la totalité des créances.

Et Fancamp ajoute à cela une opposition chez plusieurs des Filles de Saint-Joseph et leurs familles pour une raison qu'il ne précise pas, mais à laquelle il fait allusion en termes couverts:

«Toute la ville se souleva contre lui, premièrement ses filles spirituelles, leur ayant voulu ôter quelque règle par laquelle il craignait un jour le relâchement...»[8]

Si la suppression de cette règle risquait de conduire au relâchement, c'est peut-être qu'il s'agissait d'une faculté dont il était facile d'abuser; et cette affaire concernait aussi les familles, sans quoi elle serait restée un problème interne à la communauté et n'aurait pas entraîné l'hostilité de «toute la ville». «Ses parents et les parents de ses filles se déclarèrent contre lui pour de certains intérêts», écrit Fancamp.

Peut-être la solution du problème se trouve-t-elle dans la lettre de M. Troussard, si précieuse à tant d'égards; il parle de la situation de Laval, mais le même problème se posait à La Flèche:

Tout alla bien, dit-il en substance, «jusqu'à ce que sœur Monnerie se présentât, pour laquelle ses parents voulurent savoir si l'on avait des lettres de Rome pour la stabilité...»[9] Selon les *Constitutions* de 1643, les Filles pouvaient rentrer dans leurs familles «s'il arrivait que quelqu'une ne se pût accommoder à la manière de vivre selon les statuts de la maison» (chapitre XI), ou «si aussi il se trouvait quelqu'une qui fût reconnue ne se comporter pas avec la vertu et modestie convenable»[10]. Les vœux perpétuels n'étaient prononcés qu'après huit ans. De nombreuses famille demandaient plus de stabilité; le retour inattendu d'une fille après cinq ou six ans, alors qu'on la croyait «casée», troublait les dispositions prises pour le patrimoine; du coté des sœurs, il y avait aussi le désir de ressembler davantage aux religieuses de vœux solennels.

C'est une interprétation; ce n'est pas la seule, surtout si l'on se souvient que la maison de La Flèche, contrairement aux autres, sera un centre de résistance contre l'évolution vers les vœux solennels et la vie religieuse conforme aux normes du Concile de Trente.

Toujours est-il que l'on parla beaucoup contre M. de la Dauversière; on lui rapporta des propos qui le peinèrent : «Cela fut la principale cause de ses maux, sa rate s'étant trouvée dix fois plus grosse qu'à l'ordinaire...»[11] *dixit* le *Diafoirus* du lieu!

Selon la chronologie de la lettre de Fancamp, ces événements eurent lieu «six mois avant sa mort» : probablement en février, au moment du renouvellement des vœux; car ensuite, le voyage à La Rochelle de juin est daté de «trois mois devant sa mort.»

Le voyage se fit dans des conditions très difficiles : «Trois mois devant sa mort, étant au lit avec des cris continuels, on le presse d'aller à La Rochelle pour être à l'embarquement. Les gouttes le tiennent si fort qu'il ne peut seulement souffrir le linceul sur ses pieds», écrit son ami.

M. de la Dauversière demanda à Dieu de lui donner les forces nécessaires; il les obtint : «Il est guéri de tous ces maux en un instant, s'en va à La Rochelle, fait ses affaires, et il n'est pas plus tôt arrivé à une journée de sa maison aux pieds de la Sainte Vierge à Saumur, que toutes ses douleurs reviennent. Il ne laisse pas de monter à cheval et, depuis son arrivée, il ne se releva point.»[12]

Ainsi le dernier pèlerinage qu'il fit fut pour Notre-Dame-des-Ardilliers, où Abel Servien reposait. Mais à partir de son retour à La Flèche vers la fin juin, toute activité fut arrêtée; il ne put quitter son lit; il n'y a donc point à s'étonner que ses affaires fussent très embrouillées.

Les derniers comptes qui aient été arrêtés pour les tailles à la Trésorerie royale de Tours, l'ont été le 20 décembre 1658, juste avant Noël et portaient sur les tailles de 1653; restait due sur ce compte la somme de 19.748 livres[13] : c'est à peu près le montant de la fondation des hospitalières de Montréal, et c'est là que celle-ci a dû aller, au lieu d'être placée tout de suite en rentes. M. de la Dauversière considérait qu'il faisait un prêt à recouvrer sur les tailles de l'exercice suivant. Marie de l'Incarnation écrit en effet à son fils le 17 septembre 1660 :

> «Les bonnes Mères hospitalières qui vinrent l'année dernière s'établir à Montréal, ont été à la veille de repasser en France. Leur fondation était entre les mains de Monsieur de la Dauversière, receveur des tailles qui est mort assez mal en ses affaires, et comme sa charge et ses biens ont été saisis, les deniers de ces pauvres filles s'y sont trouvé enveloppés et on les tient comme perdus[14].»

Les comptes des tailles avaient encore à être épurés et arrêtés pour l'exercice des années 1655 et 1657, pour ne pas parler de l'année en cours, 1659.

Il y avait d'autre part les dettes contractées pour Montréal, en son nom propre ou au nom des associés. Le baron de Fancamp dans sa lettre dit que son ami «s'est vu ruiné en vingt-quatre heures, ayant en une seule journée perdu cent mille livres de biens».

On sait qu'en 1651, les deux vaisseaux frêtés par la Communauté des habitants de Québec, le *Saint-Joseph* et la *Vierge*, furent perdus et n'arrivèrent pas à destination, le premier pris par un corsaire au retour de Québec, le second perdu à l'île Saint-Michel; qu'en 1655 le *Petit-François* de Fr. Péron ne réussit pas à atteindre Québec [15]; dans sa lettre du 10 mars 1656 à la Mère de Saint-Bonaventure, le P. Le Jeune, écrit que le vaisseau parti de La Rochelle a été pris par les Espagnols, et qu'il y a eu de grosses pertes «dans le vaisseau flamand et dans le capitaine Le Roy»[16]. Préciser davantage n'est pas possible pour le moment.

Les soucis d'argent étaient donc lancinants au cours des derniers mois de souffrance. Les maux s'ajoutaient aux maux. Pierre Chevrier parle de «deux hernies (qui) l'incommodèrent beaucoup», de la goutte, d'une fluxion sur la poitrine, d'hémorroïdes; c'était beaucoup en plus des infirmités antérieures. «Les médecins disaient qu'il ne vivait que par miracle, pour souffrir»[17].

Il ne pouvait plus s'alimenter et les souffrances lui laissaient peu de répit : «A la fin son corps devint comme un squelette, et comme toutes ses chairs étaient fondues, les os perçant la peau, c'était autant de plaies que d'os. Il ne dormit peut-être pas une heure en un mois.»

La douleur était si intense que Jérôme ne pouvait se retenir de crier, mais, «d'abord qu'il avait un peu de relâche, vous le voyiez dans une douceur et paix admirable, comme une personne en oraison, et, s'il parlait, ce n'était que pour se plaindre de son impatience et lâcheté de ne souffrir pas de bonne grâces.»

Le baron de Fancamp semble avoir résidé à La Flèche chez M. de la Dauversière de la fin juin à novembre avec des absences; il l'a donc assisté de manière permanente durant la dernière étape et est un témoin direct.

Il fait état d'une confidence reçue vers la fin d'octobre : «Huit jours avant sa mort, ayant dit à une personne qu'il ne pouvait plus prier, et moi lui ayant dit qu'il m'avait dit autrefois que la souffrance était une si belle prière, il me répondit : Je suis abandonné de Dieu».

Cette impression d'abandon dura; le 2 novembre, quand Fancamp se présente, Jérôme lui dit : «Vous voyez l'homme des douleurs». «Et en même temps, il se reprit et me dit qu'il avait tort, puisqu'il n'y avait que Jésus-Christ qui pût prendre cette qualité, qu'il était un lâche, qu'il ne pouvait rien souffrir».

Lorsque les dernières heures approchèrent, Pierre Chevrier lui demanda ce qu'il faudrait lui redire au temps de l'agonie : «Il me répondit : Vous savez mon fond : Dieu est le Maître!» Telle était son attitude spirituelle foncière, le résumé de toute sa vie.

Il reçut l'extrême-onction la veille de sa mort, le 5 novembre, dans une grande paix du cœur. On crut que la mort approchait, car il eut alors une grande convulsion, mais, comme on envoyait quelqu'un à l'église pour faire sonner la cloche des agonisants, il sortit de son inconscience pour dire que c'était inutile : «Il n'est pas encore temps.»

La matinée du 6 fut particulièrement agitée, il se tournait et se retournait, demandant qu'on l'aide à changer de position et même de lit; son confesseur (probablement pas le P. Etienne qui n'a pas assisté à la mort) l'encouragea à rester plus tranquille : «Jésus-Christ est mort cloué à la croix, imitez-le!» Cela suffit à le calmer; il cessa de s'agiter.

Il vaut mieux maintenant laisser complètement la parole à Pierre Chevrier qui ne fut pas présent la dernière nuit et le dernier jour, ayant dû s'absenter pour un exorcisme et n'étant revenu que sur l'avis qu'on lui donna de la mort de son ami, mais il se fit raconter en détail les étapes de la journée par Jeanne de Baugé et les enfants présents:

«A midi, paraissant fort tranquille, il leva les mains jointes au ciel et, le regardant, il cria d'une voix forte : Miséricorde! et en même temps il demeura comme mort, la bouche ouverte, en sorte qu'on crut qu'il était passé. Au bout d'un quart d'heure il revint et son confesseur, lui ayant demandé ce qu'il avait eu à crier, il lui répondit : Dieu s'est présenté à moi dans la rigueur de sa justice et m'a fait plus souffrir en ce moment que je n'ai fait dans toute ma maladie.

«Et après, la miséricorde parut si abondante qu'il semblait être en paradis, quoi qu'il vécut encore plus de quatre heures. Il fut dans un étrange purgatoire, car il survint des assauts d'amour si impétueux que ses douleurs n'étaient rien en comparaison. Ce qui lui faisait dire de temps en temps : Je n'en puis plus!

«Et, comme au commencement, on crut que c'était par l'effort de ses douleurs qu'il disait ces paroles, lorsqu'on lui disait quelques paroles d'amour, il répondait : Vous mettez le feu partout, vous me consumez, je n'en puis plus!

«Et ces attaques augmentèrent jusqu'entre 3 et 4 heures après midi. Il leva les mains au ciel, regardant attentivement en un endroit avec un visage joyeux et, comme s'il eût aperçu quelque chose de fort agréable; et peu après, les abaissant tout doucement et les croisant sur sa poitrine, il baissa la tête et expira sans aucun soupir.»

1. Marie Morin, *Histoire simple et véritable*, p. 109.

2. *Procès-verbal de M. Gabriel Girault concernant l'exhumation, le partage et la remise d'une grande partie des ossements de Marie de la Ferre à Jeanne Le Royer pour les porter à La Flèche*, 31 mars 1659. *Archives des Hospitalières de La Flèche*, original de la main de G. Girault.

3. Marie Morin, *Histoire simple et véritable*, p. 109.

4. Cf. G.-M.Oury, «Les Manceaux de Montréal d'après la correspondance de Marie de l'Incarnation (1639-1672)», dans *La Province du Maine*, t.74,1972, p. 239-251.

5. Cf. *supra*, Chapitre III, n.5.

6. Marie Morin, *Histoire simple et véritable*, p.110.

7. *Ib.*

8. *Ib.*

9. Cf. *supra*, Chapitre V no. 7.

10. *Constitutions*, p. 48-49.

11. Marie Morin, *Histoire simple et véritable*, p. 110.

12. *Ib.*

13. *Etat au vrai de la Recette de dépense des tailles*, Archives départementales d'Indre-et-Loire, C. 6589 : Tailles, La Flèche, 1653.

14. Marie de l'Incarnation, *Correspondance*, éd. G.-M. Oury, Lettre du 17 septembre 1660, p. 633.

15. M. Delafosse, «La Rochelle et le Canada au XVII siècle», dans *Revue d'Histoire de l'Amérique française*, vol. IV, 1951, p. 492-493.

16. *Lettre du P. Le Jeune à la Mère Saint-Bonaventure*, 10 mars 1656, dans Thwaites, *The Jesuit Relations*, vol. XLI, p. 236.

17. Marie Morin, *Histoire simple et véritable*, p. 111; les autres citations sont prises à la suite.

Notre-Dame des Vertus

Épilogue

«Où pourrai-je trouver un serviteur fidèle?» s'était entendu dire trois fois M. de la Dauversière devant la statue de Notre Dame dans la cathédrale de Paris en 1635.

«Vous savez mon fond : Dieu est le Maître!» disait-il en 1659 à Pierre Chevrier qui lui demandait ce qu'il faudrait lui redire à l'oreille durant son agonie.

«Celui qui voudra devenir grand parmi vous sera votre serviteur, et celui qui voudra être le premier d'entre vous sera votre esclave; c'est ainsi que le Fils de l'homme n'est pas venu pour être servi, mais pour servir...»(Mt.20,26; Mc 10, 43; Lc 21, 27). Servir, c'est donner sa vie; d'après Saint Jean, c'est la plus grande preuve d'amour.

Le Fils est venu pour remplir le programme, tracé en Isaïe, du Serviteur du Seigneur. L'idéal du chrétien n'est pas le refus du service comme Lucifer : «Je ne servirai pas!» mais d'accomplir à son tour le service qui lui es demandé par Dieu et qui peut aller jusqu'au don total de lui-même; c'est ainsi qu'il entre dans le grand mouvement de la Rédemption. M. de la Dauversière a fait de cette attitude spirituelle le ressort de sa vie; serviteur des pauvres, serviteur des servantes des pauvres, serviteur des missionnaires de Nouvelle-France, laïcs et prêtres; il a voulu ni être que cela pour être plus totalement serviteur de son Maître divin. Il n'a pris la tête de rien, il a montré la voie,une voie qui lui était indiquée par Dieu dans sa prière. Il a toutes les hardiesses de celui qui n'agit pas de lui-même, mais se sait l'instrument choisi pour une œuvre qui le dépasse; il a accepté de marcher en aveugle vers un but qui échappait à ses prises, parce qu'il avait foi en Celui qui l'avait appelé. Il est allé jusqu'au bout de ses limites, et Montréal est née.

Chronologie de
Jérôme Le Royer de la Dauversière

1597, 18 mars	*Naissance de Jérôme Le Royer de la Dauversière à La Flèche; ses parents s'installent à Tours près de Saint-Martin peu après sa naissance; son frère René y naîtra le 29 décembre 1598; il aura aussi une sœur Marguerite, née en 1603 qui dut mourir en bas-âge.* *La famille retourne à La Flèche vers 1603-1604 : son père y est receveur des deniers d'octroi de la ville, puis en 1615 receveur des tailles.*
1608	*Jérôme commence, semble-t-il ses études secondaires à La Flèche au grand Collège des Jésuites, à l'âge de 11 ans.*
1610, 4 juin	*Réception au Collège du cœur de Henri IV qui vient d'être assassiné.* *Visite royale de la Régente Marie de Médicis et du jeune Louis XIII.*
1614	*Arrivée à La Flèche du P. Ennemond Massé, ancien missionnaire en Acadie.*
1617	*A vingt ans, Jérôme Le Royer achève ses études.*
1618	*Mort de son père, fin juillet ou début août.*
1621, 23 mars	*Promesse de mariage avec Jeanne de Baugé, du Mans, par contrat.*
1622, 18 mars	*Jérôme Le Royer est receveur des tailles; son fils aîné naît 1622 ou 1623; on le nomme Jérôme.*
1622	*Canonisation de Saint Ignace de Loyola et de Saint François-Xavier, grandes fêtes à La Flèche le 22 juillet.*

1624, 21 mars	*Naissance de son deuxième fils, Ignace, futur curé de Bazouges.*
1628	*Naissance de sa fille Jeanne, Future Fille de Saint-Joseph.*
1629-1630	*Naissance de Marie Angélique, Future Visitandine.*
1630, 2 février	*Première grâce mystique à Notre-Dame du Chef-du-Pont; il a l'inspiration de rénover l'Hôtel-Dieu de La Flèche et de fonder la communauté pour le desservir.*
1632	*Grave maladie; il prend la résolution «d'être tout à Dieu»; sa vie mystique se développe; il note les lumières qui lui viennent dans l'oraison.*
1634-1635	*Premières lumières sur la création d'un centre d'évangélisation dans l'île de Montréal.*
1634, 18 mars	*Achat de propriétés voisines de l'Hôtel-Dieu afin de l'agrandir et de le reconstruire partiellement.*
1634, 14 juillet	*Réunion à l'Hôtel-Dieu pour entamer les travaux. Difficultés avec le curé M. Hamelin.*
1635	*Voyage à Paris, vision à Notre-Dame de Paris. Rencontre de M. Olier à Meudon où M. Le Royer est allé voir le P. Bernier, jésuite, à qui l'a envoyé son directeur de La Flèche, le P. Chauveau.*
1635	*Fondation d'un bureau de la Compagnie du Saint-Sacrement à La Flèche.*
1636, 17 février	*Approbation des Statuts de la Confrérie de la Sainte-Famille à La Flèche par Mgr de Rueil, évêque d'Angers.*
1636, 18 mai	*Commencement de la Communauté des Filles de Saint-Joseph.*
1637, 14 février	*Naissance de Joseph, le 3 fils de M. de la Dauversière. Futur curé de Bazouges après son frère Ignace.*

1637	*Achèvement de l'église Saint-Louis, lieu de culte du Collège des Jésuites.*
1639	*Requête aux Hospitalières de Dieppe pour qu'elles viennent prendre en charge l'Hôtel-Dieu rénové; M. de la Dauversière fait cette démarche sur la demande expresse du Corps de ville, mais il a son propre projet. Les Hospitalières de Dieppe, ayant à s'occuper de la fondation de Québec, ne peuvent accepter.*
1639, décembre	*Union du titre de l'ancienne aumônerie à l'Hôtel-Dieu; concordat de la Ville avec les premières Filles de Saint-Joseph au service de l'Hôtel-Dieu.*
1640, 28 mai	*L'évêque d'Angers autorise à conserver le Saint-Sacrement dans la chapelle de l'Hôtel-Dieu, dédiée à Saint-Joseph.*
1640, début	*Premier voyage en Dauphiné (Vienne) pour y rencontrer M. de Lauson, Intendant, concessionnaire de l'île de Montréal; refus de celui-ci, le projet ne lui semblant pas assez assuré.* *Envoi de premiers approvisionnements à Québec pour la future colonie.*
1640, juillet août	*Deuxième visite en Dauphiné à M. de Lauson; M. de la Dauversière s'y rend avec le P. Charles Lalemant qui apporte sa caution; M. de Fancamp, le principal bailleur de fonds, n'a pu être cette fois du voyage; il a donné sa procuration à son ami, M. de la Dauversière.*
1640, 7 août	*Cession de l'île de Montréal par M. de Lauson.*
1640, 17 décembre	*La Compagnie des Cent-Associés considérant la cession illégale (M. de Lauson n'avait pas rempli les obligations du contrat et n'ayant rien fait pour peupler Montréal), cède officiellement l'île à Fancamp et la Dauversière.*
1641, printemps	*Embarquement de la colonie pour Montréal, du port de Dieppe et de La Rochelle; M. de la Dauversière a recruté les premiers colons; il a trouvé M. de Maisonneuve, grâce au P. Lalemant; et il a rencontré à La Rochelle*

	Jeanne Mance qui a accepté de fixer à Montréal l'Hôtel-Dieu que Madame de Bullion a «fondé» et dont elle lui a confié la réalisation.
1642,	*Pétition à Mgr de Rueil, évêque d'Angers, au début de l'année pour obtenir l'approbation des Filles de Saint-Joseph.*
1642, 2 février	*Réunion de la Société de Notre-Dame de Montréal et vœu à Notre-Dame de Paris.*
1642, mai	*Fondation de Montréal en Nouvelle-France.*
1643, 21 février	*Lettre des Sociétaires au Pape Urbain VIII.*
1643, 13 mars	*Assemblée de la Société de Montréal à Paris, don par la Régente du vaisseau Notre-Dame.*
1643, 4 avril	*Mort de Louis XIII.*
1643, 12 avril	*Le cœur de Marie de Médicis est reçu à La Flèche pour être déposé dans l'église du Collège en face de celui d'Henri IV.*
1643, 19 octobre	*Approbation des Filles de Saint Joseph par l'évêque d'Angers, Mgr de Rueil.*
1643, 25 octobre	*Approbation des Constitutions.*
1643, 23 novembre	*Les administrateurs mettent les Filles de Saint Joseph officiellement en possession de l'Hôtel- Dieu.*
1644, 21 et 22 janvier	*Etablissement canonique des Filles de Saint-Joseph et élection officielle de la supérieure.*
1644	*M. de la Dauversière reçoit commission de fonder le bureau de la Compagnie du Saint-Sacrement à Laval.*
fin 1645-printemps 1646	*Premier voyage de Maisonneuve en France.*
fin 1646-printemps 1647	*Deuxième voyage de Maisonneuve en France.*

1647, 20 septembre	*Modification des Constitutions des Filles de Saint-Joseph en vue des futures fondations : leur bien sera séparé de celui des pauvres de l'Hôtel-Dieu de La Flèche.*
1648, 28 juillet	*Première visite canonique de la communauté de La Flèche.*
1648	*Premières tractations relatives au futur Hôtel-Dieu de Laval. Entrée de Marie-Véronique à la Visitation de La Flèche fondée deux années plus tôt.*
1648	*Voyage à Moulins en vue de la fondation d'un nouvel Hôtel-Dieu.*
1649, début	*Grave maladie de M. de la Dauversière. Le baron de Renty lui écrit qu'il peut compter sur dix ans de vie; lui-même meurt le 24 avril à Paris, à 38 ans.*
Fin 1649-printemps 1650	*Premier voyage de Jeanne Mance en France. Elle redonne vie à la Société de Notre-Dame de Montréal.*
1650, 25 avril	*Accord pour la fondation de l'Hôtel-Dieu de Baugé.*
1650, 29 juin	*Consécration de Mgr Henry Arnauld comme nouvel évêque d'Angers; il est le frère du Grand Arnauld de Port-Royal.*
1650, décembre	*Fondations de Baugé et de Laval.*
1651, printemps	*Fondation de Moulins.*
fin 1651-printemps 1652	*Troisième voyage de Maisonneuve pour tenter de recruter au moins une centaine d'hommes pour Montréal.*
1652	*Durant les troubles de la Fronde en Anjou, M. de la Dauversière héberge les Visitandines chez-lui, leur couvent se trouvant hors les murs.*
1652, 27 juillet	*Mort de Marie de la Ferre, la fondatrice des Filles de Saint-Joseph, à Moulins; en août-septembre, M. de la Dauversière se rend à Moulins avec sa fille Jeanne qui est élue supérieure de Moulins.*

1653, début 1654	*Recrutement des engagés de Montréal. Mariage de son fils aîné; une fondation projetée à Château-Gontier échoue.*
fin 1655-printemps 1657	*Quatrième voyage de Maisonneuve en France.*
1656, 31 mars	*Accord entre la Société de Montréal et les Filles de Saint-Joseph pour la prise en charge de l'Hôtel-Dieu de Montréal.*
fin 1658-printemps 1659	*Deuxième voyage de Jeanne Mance en France; elle passe les fêtes de Noël à La Flèche chez les Filles de Saint-Joseph.*
1659, février	*Guérison miraculeuse de Jeanne Mance auprès de la relique de M. Olier au Séminaire Saint-Sulpice de Paris.*
1659, avril	*Les restes de Marie de la Ferre sont rapportés à La Flèche par Jeanne de la Dauversière.*
1659, avril	*Choix des sœurs destinées à la fondation de Montréal.*
1659, juin	*Voyage à La Rochelle, départ de Jeanne Mance et des sœurs pour Montréal, avec Marguerite Bourgeoys et ses compagnes. La recrue de 1659 compte 110 personnes; M. de la Dauversière a dû s'occuper de l'embarquement malgré sa mauvaise santé.*
1659, été	*Maladie de M. de la Dauversière.*
1659, 6 novembre	*Mort de M. de la Dauversière. Il est enseveli à l'Hôtel-Dieu dans la chapelle Saint-Joseph.*

BIBLIOGRAPHIE

SOURCES MANUSCRITES DE LA CONGRÉGATION

1 - **Archives des Religieuses Hospitalières de Saint-Joseph de La Flèche**

Pièces diverses citées au cours du travail.

Collections:

- Péret. *Annales de Moulins* (différentes rédactions).

- Hardouyneau. *[Compilation] concernant La Flèche et les autres maisons de l'Institut.*

- Gaudin, *Inventaire et Extraits des papiers de famille de Le Royer.*

- Gaudin, *Registre des actes notariés trouvés dans les Minutes des Notaires de La Flèche et dont les originaux semblent aujourd'hui perdus.*

- Gaudin, *Recueil des pièces authentiques de l'Histoire des Religieuses Hospitalières.*

2 - **Archives des Religieuses Hospitalières de Saint-Joseph de Laval**

Décret d'Arnauld, évêque d'Angers, copie collationnée à l'original, Sommier 50.

3 -   Archives des Religieuses Hospitalières de Saint-Joseph de Baugé

Achat du domaine de Chamboisseau par Le Royer, sur parchemin.

4 -   Archives des Religieuses Hospitalières de Beaufort-en-Vallée

N.B.   Cette maison a été fermée en 1964 et les Archives se trouvent actuellement à la Maison de La Flèche.

Lettre de l'Abbé Troussard.

5 -   Archives des Religieuses Hospitalières de Saint-Joseph de Montréal

Obédience de l'évêque de Québec aux trois Filles Hospitalières.

Morin, *Annales de l'Hôtel-Dieu.*

SOURCES MANUSCRITES EXTÉRIEURES À LA CONGRÉGATION

1 -   Sources parisiennes

a)   Archives de Saint-Sulpice de Paris

-       Lettres de M. Olier.

-       Mémoires autographes de M. Olier.

-       Ms 100 (Notes de Bretonvilliers: L'Esprit de M. Olier).

b)   *Bibliothèque Mazarine*

- Ms 1963: Dollier de Casson, Histoire de Montréal (original).

- Ms 2435: Histoire des Fondations de l'Ordre de La Visitation.

2 -   **Sources angevines et mancelles**

a)   *Archives départementales de La Sarthe*

- Série H, 1916 - 1957:   Hôtel-Dieu de La Flèche

  - Registre de Catholicité des églises
    . St-Thomas de La Flèche
    . Bazouges
    . St-Pavin de la Cité au Mans

b)   *Archives départementales du Maine-et-Loire*

- Série H: 14 H 7: Prieuré de Monnais

3 -   **Autres sources françaises**

a)   *Archives départementales de l'Allier (Moulins)*

- Série H: 866-871, Hôtel-Dieu de Moulins

b)   *Archives départementales de l'Eure (Evreux)*

- Série H: 1042: Prieuré de Sausseuse

c)   *Archives départementales d'Indre-et-Loire (Tours)*

Série C - 689: La Flèche, Tailles.

LISTE CHRONOLOGIQUE DES PRINCIPAUX OUVRAGES, ARTICLES ET BROCHURES QUI TRAITENT DE M. DE LA DAUVERSIERE

1803

Marchant de Burbure, *Essais historiques sur la ville et le Collège de La Flèche*, Angers, An XI, 1803, in-8°. XVI-340 pp. : p. 103-104, 159.

1829

(P. Claude Griffet, s.j.), *Annales ou Histoire de l'Institution des Religieuses Hospitalières de Saint-Joseph sous la Règle de saint Augustin*, Saumur, chez Adolphe Dugeouy, 1829, 396 p.

1863

Dom François Chamard, o.s.b. *Les Vies des saints personnages de l'Anjou*, Paris, J. Lecoffre et Cie; Angers, Cosmier et Lachèse, 1853, 3 vol.

1887

(Soeur Adèle-Josephine Grosjean), *Notions abrégées sur Jérôme Le Royer et Marie de la Ferre*, Laval, autographie L. Cornilleau, 1887, in-8ᵉ.

E.-L. Couanier de Launay, *Histoire des religieuses hospitalières de Saint-Joseph, France et Canada*; Paris, Société générale de librairie catholique, Victor Palmé; et Génève, Henry Tremblay, 1887, 2 vol.

1928

François-Constant Uzureau, *"Un mystique du XVIIe siècle: Jérôme Le Royer de la Dauversière, 1597-1659"*, dans *La Vie spirituelle*, Supplément, XIX, octobre 1928, p. 29-41.

1936

S.n.a., *Vies de Jérôme Le Royer de la Dauversière et de Mère Marie de la Ferre, fondateurs de l'Institut, Religieuses Hospitalières de Saint-Joseph, 1636*, Nîmes, Ed. Notre-Dame, s.d. (1936).

Albert Jamet, o.s.b., *"Jérôme Le Royer de la Dauversière et les commencements de Montréal"*, dans *Revue de l'Université d'Ottawa*, oct.-déc. 1936, p. 387-419.

1947

Camille Bertrand, *Monsieur de la Dauversière, Fondateur de Montréal et des Religieuses Hospitalières de Saint-Joseph, 1597-1659*, Montréal, Les Frères des Ecoles chrétiennes, 1947, 280 p.

1949

Isaïe Boussard, f.m.c., (Jules Boussard, en religion Isaïe du Breil), *Vie de Jérôme Le Royer de la Dauversière*, manuscrit.

1951

R. Choplin, *Un mouvement français d'expansion coloniale au XVIIe siècle, la Fondation de Montréal*, Université de Montréal, ms., 1951.

1965

Marie-Claire Daveluy, *La Société de Notre-Dame de Montréal, 1639-1663, Son histoire, ses membres, son manifeste*, coll. *Fleur de Lys*, Préface du chanoine Lionel Groulx, Montréal-Paris, Ed. Fides, 1965, 326 + 128 p.

1971

Yvonne Estienne, *Faire Face, Vie de Jérôme Le Royer de la Dauversière*, Toulouse, Ed. Privat, 1971, 158 p.; traduction anglaise: *Undaunted*, Montréal, Dorval, 1973.

1983

Guy-Marie Oury, o.s.b., *Jeanne Mance et le rêve de M. de la Dauversière*, Chambray-les-Tours, CLD, 1983, 268 p.

Guy-Marie Oury, o.s.b., *"Le Fléchois Jérôme le Royer de la Dauversière et l'utopie de Montréal"*, dans *La Province du Maine*, t. 85, 1983, p. 150-162.

1984

Guy-Marie Oury, o.s.b., *"Monsieur de la Dauversière et les premières Constitutions des Hospitalières de Saint-Joseph à La Flèche"*, dans *La Province du Maine*, t. 86, 1984, p. 230-238.

1986

Guy-Marie Oury, o.s.b., *"Aux origines d'une Congrégation religieuse. Jérôme Le Royer de la Dauversière, fondateur des Hospitalières de Saint-Joseph. Sa spiritualité"*, dans *Esprit et Vie*, 21-22 mai 1986, p. 289-294.

1988

Robert Choplin, *"La Flèche et la fondation de Montréal (1642). Jérôme Le Royer de la Dauversière"*, dans *La Province du Maine*, t. 90, 1988, p. 151-170.

1990

Lucien Campeau, s.j., *"Montréal, fondation missionnaire"*, dans *L'Eglise de Montréal*, 11 janvier 1990, p. 33-41; 18 janvier 1990, p. 61-64, etc.

1991

Henri Béchard, s.j., *Jérôme Le Royer de la Dauversière, his Friends and Ennemies (1597-1659), Apostolate for Family consecration*, Bloomingdale, OH, USA, 1991, 478 p.

OUVRAGES

ALLIER, R., *La Cabale des dévots, 1627-1666*, Paris, A. Colin, 1902.

AUGER, R. J., *La grande recrue de 1653. Un chapitre de l'émigration angevine pour Montréal*, Montréal, 1955.

BESSIERES, A., *Au temps de saint Vincent de Paul, Deux grands méconnus, précurseurs de l'action catholique et sociale: Gaston de Renty et Henry Buch*, Paris, Spes, 1931.

BIRAULT, S., *La Fronde à Angers*, thèse dactylographiée à l'Université d'Angers, 1980.

BOISARD, M., *La Compagnie de Saint-Sulpice. Trois siècles d'histoire*, multigraphié, s.d.

BONNOT, Isabelle, *Hérétique ou saint? Henry Arnauld, évêque janséniste d'Angers au XVIIe siècle*, Paris, NEL, 1984.

BOUCHEREAUX, Suzanne-Marie, *La Réfome des Carmes en France et Jean de Saint-Samson*, Paris, Vrin, 1950.

BOUILLERIE, S. de la , *Un ami de Henri IV, Guillaume Fouquet de la Varenne*, Mamers, Fleury et Dangin, 1906.

BREMOND, H., *Histoire littéraire du sentiment religieux en France depuis la fin des Guerres de Religion jusqu'à nos jours*, Paris, Bloud et Gay, 1929-1936, 11 vol. et tables.

BRIDGMAN, R., *L'Hôpital et la cité*, Paris, 1965.

CALENDINI, P., *Le couvent des Filles de Notre-Dame à La Flèche, (1622-1905)*, La Flèche, Besnier, 1905.

CAMPEAU, L., *L'évêché de Québec (1674). Aux origines du premier diocèse érigé en Amérique française, Cahiers d'Histoire*, no 26, Société historique de Québec, 1974.

CAMPEAU, L., *Mgr de Laval et les Hospitalières de Montréal (1659-1684)*, dans *L'Hôtel-Dieu de Montréal, 1642-1973*, Montréal, les Cahiers du Québec, 1973.

CAMPEAU, L., *Les Finances publiques de la Nouvelle-France sous les Cent-Associés, 1632-1665*, Montréal, Ed. Bellarmin, 1975.

CASANOVA, J. D. et R. DOUVILLE, *La vie quotidienne des Indiens du Canada*, Paris, Hachette, 1967.

CHAMBOIS, E. et P. J. FARCY, *Recherche de la noblesse dans la Généralité de Tours en 1666, Procès-verbaux de comparution publiés et annotés*, Mamers, 1895.

CHARMEIL, J. P., *Les Trésoriers de France à l'époque de la Fronde*, Paris, 1964.

CHATELIER, L., *L'Europe des dévots*, Paris, Flammarion, 1987.

CHIRON, Y., *Gaston de Renty, une figure spirituelle du XVIIe siècle*, Montsûrs, Résiac, 1985.

CLERE, *Histoire de l'Ecole de La Flèche*, Paris, Jourdain, 1853.

COCHIN, Cl., *Henry Arnauld, évêque d'Angers (1597-1692)*, t. I, Paris, Picard, 1921.

COLLET, P., *La vie de M. de Quériolet, prêtre*, Paris, 1771.

COSTE, P., *Le grand saint du grand siècle, Monsieur Vincent*, Paris, 1932, 3 vol.

CRASSET, Jean, *Des Congrégations de Notre Dame érigées dans les maisons des Pères de la Compagnie de Jésus*, Paris, 1694.

CREUXIUS, Fr., *Historia Canadensis*, Paris, 1664.

DAVELUY, M.-C., *Jeanne Mance, 1606-1673*, Montréal 1934, rééd. Montréal-Paris, Fides 1962.

DEBIDOUR, A., *La Fronde angevine. Tableau de la vie municipale au XVIIe siècle*, Paris, Thorin, 1877.

DELACROIX, S. (sous la direction de), *Les Missions modernes, XVIIe-XVIIIe siècles*, Paris-Monaco, 1957, t. 2.

DELATTRE, P., *Les Etablissements des Jésuites en France depuis quatre siècles au cours des quatre derniers siècles*, Enghien-Wetteren, t. II, 1953.

DELPLACE, P., *Histoire des Congrégations de la Sainte Vierge*, Paris, 1884.

DENAIS, J., *Histoire de l'Hôtel-Dieu de Beaufort-en-Vallée (1412-1810)*, Paris-Angers, 1872.

DESROSIERS, L. P., *Iroquoisie*, Montréal, 1947.

DESROSIERS, L. P., *Paul de Chomedey, Sieur de Maisonneuve*, Montréal-Paris, 1967.

DOMINIQUE DE SAINTE-CATHERINE, P., *Le Grand Pêcheur converty, représenté dans les deux estats de la vie de Monsieur de Quériolet*, Paris, 1663, 2 vol.

DOUVILLE, R. et J.D. CASANOVA, *La vie quotidienne des Indiens du Canada*, Paris, Hachette, 1967.

DUFOURCQ, N. et Chanoine GIRAUD, *Le Prytanée militaire, sa chapelle et son orgue*, Laval, Goupil, 1933.

DUPUY, M., *Se laisser à l'Esprit. Itinéraire spirituel de Jean-Jacques Olier*, Paris, Le Cerf, 1982.

ESMONIN, Ed., *La taille en Normandie au temps de Colbert*, Paris, 1913.

FAILLON, E.M., *Vie de la soeur Bourgeoys, fondatrice de la Congrégation de Notre-Dame de Villemarie au Canada*, Villemarie, 1853, 2 vol.

FAILLON, E.M., *Vie de M. Olier*, 3 vol., Paris, 1873 (4ᵉ éd.).

FLENLEY, R., éd., *Dollier de Casson, A History of Montreal, 1640-1672*, London & Toronto, 1928.

FLEURET, A., *Documents et manuscrits. La Visitation au XVIIᵉ siècle. Couvents du Maine et de l'Orléanais*, Paris, 1895.

FOUQUERAY, H., *Histoire de la Compagnie de Jésus en France*, Paris, 1913.

GRANDET, J., *Notre-Dame Angevine*, éd. A. Lemarchand, Angers, Germain & Grasset, 1884.

GRANDET, J., *La vie de Mademoiselle de Melun, fondatrice de l'Hôtel-Dieu des hospitalières de Baugé*, Paris, Josse, 1687; rééd. Portais, Angers, 1898.

GRANDET, Joseph, *Les saints prêtres français du XVIIᵉ siècle*, éd. G. Letourneau, Paris, 3 vol. 1897-1898.

GYGER, T., *Montréal sous la menace Iroquoise, 1642-1655*, dans *L'Hôtel-Dieu de Montréal, 1642-1973*, Montréal, Soc. historique, 1973, p. 73-102.

HELYOT, *Histoire des Ordres monastiques, religieux et militaires et des Congrégations séculières de l'un et l'autre sexe*, Paris, J. B. Coignard, 1721, t. IV.

HOUDEBINE, T., *Histoire du diocèse d'Angers des origines à nos jours*, Angers, 1926.

IMBERT, J., *L'Hôpital français*. Paris, 1972.

IMBERT, J., *Les Hôpitaux en droit canonique*, dans *L'Eglise et l'Etat au Moyen Age*, t. VII, Paris, 1947.

JAMET, A., *Marguerite Bourgeoys*, Montréal, 1942, 2 vol.

JANSSEN, P.W., *Les origines de la Réforme des Carmes en France au XVIIe siècle*, La Haye, Arch. Intern. d'Histoire des Idées, 1969 (2e éd.).

———— *Journal des Jésuites*, éd. LAVERDIERE et CASGRAIN, Québec, 1871.

KOSSMANN, E. H., *La Fronde*, Leyde, 1954.

LANCTOT, G., *Filles de joie ou Filles du Roi. Etude sur l'émigration féminine en Nouvelle-France*, Montréal, 1952, rééd., 1966.

LANCTOT, G., *Montréal sous Maisonneuve, 1642-1665*, Montréal, 1966.

LEBRUN, F., *La vie conjugale sous l'Ancien Régime*, Paris, A. Colin, 1975 (rééd. sans notes).

LEBRUN, Fr., *Les hommes et la mort en Anjou aux XVIIe et XVIIIe siècles, Essai de démographie et de psychologie historique*, Paris-La Haye, Mouton et Cie, 1971; rééd. Paris, Flammarion, 1975.

LEBRUN, Fr. (sous la direction de), *Histoire du diocèse d'Angers*, dans *Histoire des diocèses de France*, Paris, Beauchesne, no 13, 1981.

LE GOUVELLO, H., *Les possédées de Loudun et M. de Kériolet*, Vannes, 1892.

LUGON, Cl., *La République communiste chrétienne des Guaranis, 1610-1768*, Paris, Ed. Ouvrières, 1949 (et bibliographie).

MARIE de l'INCARNATION, *Correspondance de*, éd. G.-M. OURY, Solesmes, 1971.

MARION, M., *Dictionnaire des Institutions de la France aux XVIIe et XVIIIe siècles*, Paris, 1923.

MENNETRIER, Charles, *Les sanctuaires de Notre-Dame au pays de La Flèche*, La Flèche, Bernier, 1945.

MOLLAT, M., *Etudes sur l'histoire de la pauvreté*, Paris, 1974.

MONDOUX, M., *L'Hôtel-Dieu, premier Hôpital de Montréal, 1642-1942*, Montréal, 1942.

MONDOUX, M., *La dévotion à saint Joseph dans la Congrégation des Religieuses Hospitalières de Saint-Joseph, et particulièrement à l'Hôtel-Dieu de Montréal*, dans *Le Patronage de saint Joseph*, Montréal-Paris, Fides, 1956.

MONGREDIEN, G., *Mazarin* (ouvrage collectif sous la direction de), Paris, 1959.

MONTZEY, Ch. de, *Histoire de La Flèche et de ses seigneurs*, Le Mans, 1878, 2 vol.

MOUSNIER, Roland, *La vénalité des offices sous Henri IV et Louis XIII*, Paris, 1965, réédition PUF, 1971.

OURY, G.-M., *Marie de l'Incarnation, 1599-1672*, Québec-Solesmes, 1973.

OURY, G.-M., *Jeanne Mance et le rêve de M. de la Dauversière*, Chambray-les-Tours, C.L.D., 1983.

PIACENTINI, R., *Origines et Evolution de l'Hospitalisation, les Chanoinesses Hospitalières de la Miséricorde de Jésus*, Paris, Grasset, 1957.

PILLORGET, R., *La tige et le rameau. Familles anglaise et française, XVIe - XVIIIe siècles*, Paris, Calman-Lévy, 1979.

POIRE, Fr., *La triple couronne de la Mère de Dieu (1643)*, rééd. par les moines de Solesmes, Paris, 1858, 2 vol.

PORCHNEV, B., *Les soulèvements populaires en France au XVIIe siècle*, Paris, Flammarion, 1972.

REBELLIAU, A., *La Compagnie secrète du Saint-Sacrement, Lettres du groupe parisien au groupe marseillais, 1639-1662*, Paris, Champion, 1908.

RENTY, Gaston-Jean-Baptiste de, *Correspondance*, texte établi et annoté par R. TRIBOULET, Paris, Desclée de Brouwer, 1978.

ROCHEMONTEIX, C. de, *Les Jésuites de la Nouvelle-France au XVIIe siècle*, Paris, Letouzey, 1895, 2 vol.

ROCHEMONTEIX, C. de, *Un Collège des Jésuites aux XVIIe et XVIIIe siècles, le Collège Henri IV de La Flèche*, Le Mans, Leguicheux, 1889, 4 vol.

RUMILLY, R., *Marguerite Bourgeoys*, Paris, s.d.

RUMILLY, R., *Histoire de Montréal*, t. I, Montréal, 1970.

———— *Saint Joseph à l'époque de la Renaissance (1450-1600)*, Symposium International. *Cahiers de Joséphologie*, t. 25, 1977.

SAINT-JURE, J.B. de, *La vie de Monsieur de Renty*, Paris, 1651.

SAINT-MARTIN, Antoine de la Porte de, *L'idée de la véritable dévotion en la vie de Madame de Beaufort-Ferraud*, Paris, Cottereau, 1650.

SALONE, E., *La colonisation de la Nouvelle-France, Etude sur les origines de la Nation canadienne-française*, Paris, 1906.

SCHILTE, Pierre, *La Flèche intra-muros*, Ed. Farré et Fils - Cholet, 1980, p. 32-33.

SOURIAU, M., *La Compagnie du Saint-Sacrement de l'autel à Caen. Deux mystiques normands du XVIIe siècle, M. de Renty et Jean de Bernières*, Paris, 1913.

SURIN, Jean-Joseph, *Correspondance*, texte établi, présenté et annoté par M. de CERTEAU, Paris, Desclée de Brouwer, 1966, appendice II, Jeanne des Anges, p. 1721-1748.

TAPIE, V., *La France de Louis XIII et de Richelieu*, Paris, Flammarion, 1967, rééd. 1980 (voir bibliographie).

TRESVAUX, *Histoire de l'Eglise et du diocèse d'Angers*, Paris, Lecoffre, 1858, 2 vol.

TRIBOULET, R., *Gaston Jean-Baptiste de Renty, Correspondance*, Paris, Desclée de Brouwer, 1978.

TRUDEL, M., *Histoire de la Nouvelle-France. t. I. Les vaines tentatives, 1524-1603*, Montréal, 1963.

VAUMAS, G. de, *L'éveil missionnaire de la France au XVIIe siècle*, Paris, Bloud et Gay, 1959.

VIGUERIE, J. de, *L'institution des enfants. L'éducation en France, XVIe - XVIIIe siècles*, Paris, Calman-Lévy, 1978 (et bibliographie).

VIGUERIE, J. de, *Notre-Dame des Ardilliers, Le pélerinage de Loire*, Paris, OEIL, 1986.

VILLARET, E., *Les Congrégations mariales, t. I: Des origines à la suppression de la Compagnie de Jésus (1540-1773)*, Paris, Beauchesne, 1947.

VOYER D'ARGENSON, René de, *Annales de la Compagnie du Saint-Sacrement, 1627-1666*, éd. Dom Henri Beauchet-Filleau, Marseille, 1900.

ARTICLES

BONNAULT, Cl., *La Compagnie du Saint-Sacrement, le baron de Renty et le Canada*, dans *Bulletin des Recherches historiques*, t. 38, 1932, p. 323-352.

BOTTEREAU, Georges, *Jean-Baptiste Saint-Jure, S.J., 1588-1657*, dans *Archivum Historicum Societatis Jesu*, t. 49, 1980, p. 161-202.

BOUCHARD, E., *Les de Lingendes. Etude biographique et littéraire*, dans *Bulletin de la Société d'Émulation de Moulins*, t. 10, 1868-1869, p. 323-382.

BOUILLERIE, S. de la, *Crosmières*, dans *Revue historique et archéologique du Maine*, t. 12, 1882, p. 167 s.

BOUILLERIE, S. de la, *Bazouges-sur-Loir, son église et ses fiefs*, dans *Revue historique et archéologique du Maine*, t. 15, 1884, p. 65-69.

BOURIER, P., *Etude sur l'Hôtel-Dieu d'Orléans au Moyen Age et au XVIe siècle*, dans *Mémoire de la Société archéol. de l'Orléanais*, t. 34, 1926.

CALENDINI, L., *L'Election de La Flèche (1593-1598)*, dans *Annales Fléchoises*, t. 7, 1906, p. 32-38.

CALENDINI, L., *La succession de M. Le Royer de la Dauversière*, dans *La Province du Maine*, t. 30, 1950, p. 80-86.

CALENDINI, P., *Notre-Dame-du-Chef-du-Pont à La Flèche*, dans *Annales Fléchoises*, t. 1, 1903, p. 139-142.

CALENDINI, P., *Henri IV et les Jésuites de 1602 à 1604*, dans *Annales Fléchoises*, t. 12, 1911, p. 69-92.

CESBRON-LAVAU, L., *Saint René Goupil et les missionnaires angevins du Canada aux XVIIe et XVIIIe siècles*, Angers, 1957 (tiré-à-part de *L'Anjou historique*).

DAVELUY, M.-Cl., *Le drame de la recrue de 1653*, dans *Revue d'Histoire de l'Amérique française*, t. 7, 1953-1954, p. 157-197.

DEBIEN, G., *Les Engagés pour le Canada au XVIIe siècle vus de La Rochelle*, dans *Revue d'Histoire de l'Amérique française*, t. 6, 1952-1953, p. 177-233, 374-407.

HURTUBISE, Pierre, *Aspects doctrinaux de la dévotion à la Sainte Famille en Nouvelle-France*, dans *Eglise et Théologie*, t. 3, 1972, p. 45-68.

KLEISER, Alphonse, *Claude Bernier, S.J., (1601-1655)*, dans *ZAM*, 1927, p. 155-164; 1930, p. 366-368.

LE BLANT, R., *Notes sur Madame de Bullion, la bienfaitrice de l'Hôtel-Dieu de Montréal, après 1587-26 juin 1664*, dans *Revue d'Histoire de l'Amérique française*, t. XII, 1958-1959, p. 112-125.

LEFEBVRE, Esther, *Macé*, dans *Dictionnaire biographique du Canada*, t. I, p. 489.

LEFEBVRE, Esther, *Moreau de Brésoles*, dans *Dictionnaire biographique du Canada*, t. I, p. 523-524.

LEMARCHAND, A., *Les Cahiers de doléances des Angevins en 1651*, dans *Revue de l'Anjou*, t. I, 1885, p. 274-285.

LORIERE, Ed. de, *Quelques notes sur les émigrants manceaux, et principalement fléchois au Canada pendant le XVIIe siècle*, La Flèche, 1908 (*Annales Fléchoises*, tiré-à-part).

MASSICOTTE, E. Z., *La recrue de 1653*, dans *Rapport de l'Archiviste de la Province de Québec, 1920-1921*, p. 309-320.

MASSICOTTE, E. Z., *Une recrue de colons pour Montréal en 1658*, dans *Bulletin des Recherches historiques*, t. 35, 1929, p. 671-678.

MAURAULT, O. , *M. de Queylus*, dans *Cahiers des Dix*, 26, 1961, p. 91-110.

MAURAULT, O., *Les divers motifs qui ont amené Saint-Sulpice à Montréal*, dans *Revue d'Histoire de l'Amérique française*, t. 11, 1957-1958, p. 3-9.

MENNETRIER, Ch., *Notre-Dame-du-Chef-du-Pont à La Flèche*, dans *La Province du Maine*, 1933 (tiré à part).

MENNETRIER, Ch., *La Flèche et Montréal*, dans *La Province du Maine*, t. 27, 1947, p. 50-79.

MEUVRET, J., *Comment les Français du XVIIe siècle voyaient l'impôt?*, dans *XVIIe siècle*, no 26-27, 1955, p. 59-82.

MONDOUX, M., *Les hommes de Montréal*, dans *Revue d'Histoire de l'Amérique française*, t. 2, 1948-1949, p. 59-80.

MONET, J., *Lauson*, dans *Dictionnaire biographique du Canada*, t. I, p. 439-441.

NOYE, I., *Famille (Dévotion à la Sainte)*, dans *Dictionnaire de Spiritualité*, t. V, 1964, c. 87-88.

OURY, G.-M., *Les Manceaux de Montréal (1639-1672)*, dans *La Province du Maine*, t. 74, 1972, p. 249-250.

OURY, G.- M., *Le second aumônier des Ursulines de Québec, René Chartier. En marge de la vie de Marie de l'Incarnation*, dans *Eglise et Théologie*, t. 5, 1974, p. 33-41.

PROVOST, Honorius, *La dévotion à la Sainte Famille en Canada*, dans *Revue de l'Université Laval*, t. 18, 1963-1964, p. 395-405, 543-552.

RENAUDIN, P., *Une voyante parisienne, Marie Rousseau*, dans *Vie spirituelle*, t. 58-59 (mars-mai 1939), p. 234 s., 265 s.

SCHILTE, P., *Le Château-Neuf de Françoise d'Alençon*, dans *Cahiers Fléchois*, 1979.

SCHILTE, F., *Le château des Fouquet de la Varenne, à La Flèche*, dans *La Province du Maine*, t. 89, 1987, p. 150-168.

SURPRENANT, A., *Le Père Pierre-Joseph-Marie Chaumonot, missionnaire de la Huronie*, dans *Revue d'Histoire de l'Amérique française*, t. VII, 1953-1954, p. 64-87, 241-258, 392-412, 505-523.

TERMEAU, J., *La Flèche et sa population au XVIIᵉ siècle*, dans *Cahiers Fléchois*, n° 9, 1987.

TESSIER, Albert, *La Compagnie du Saint-Sacrement*, dans *Les Cahiers des Dix*, 7, 1942, p. 27-43.

TRUDEL, M., *Les débuts d'une société. Montréal 1642-1663. Etude de certains comportements sociaux*, dans *Revue d'Histoire de l'Amérique française*, t. 23, 1969, p. 185-208.

UZUREAU, F., *Fondation de la Visitation de La Flèche*, dans *Annales Fléchoises*, t. 7, 1906, p. 222-227.

UZUREAU, F., *La Compagnie du Saint-Sacrement à Angers et à La Flèche*, dans *Annales Fléchoises*, t. 7, 1906, p. 197-201.

Table des Matières

Achevé d'imprimer en Septembre 1991
sur les presses de Imprico,
division de Imprimeries Québécor Inc.
Ville Mont-Royal, Qué.